CLÓVIS DE BARROS FILHO

inédita

PAMONHA

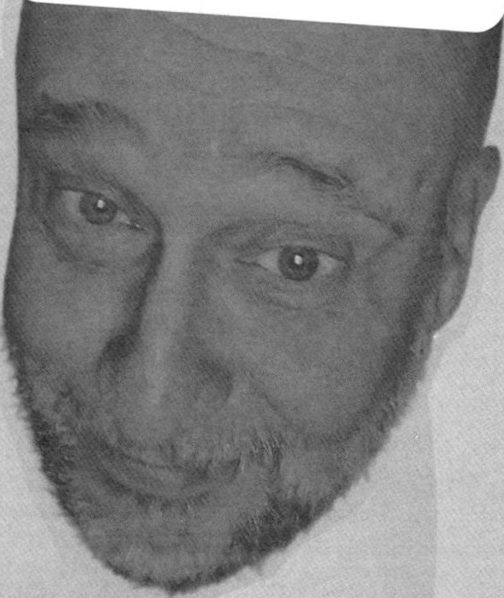

Inédita Pamonha

1ª edição: Novembro 2022

Autor:
Clóvis de Barros Filho

Revisão:
Debora Capella
Daniela Georgeto

Projeto gráfico e capa:
Jéssica Wendy

DADOS INTERNACIONAIS DE CATALOGAÇÃO NA PUBLICAÇÃO (CIP)

Barros Filho, Clóvis de
Inédita pamonha : por instantes felizes, virginais e irrepetíveis : os piores episódios selecionados do podcast / Clóvis de Barros Filho. — Porto Alegre : Citadel, 2022.
224 p.

ISBN: 978-65-5047-198-9

1. Podcasts 2. Entretenimento I. Título

22-6584 CDD - 006.7876

Angélica Ilacqua - Bibliotecária - CRB-8/7057

Produção editorial e distribuição:

CITADEL Grupo Editorial
contato@citadel.com.br
www.citadel.com.br

CLÓVIS DE BARROS FILHO

inédita PAMONHA

POR INSTANTES FELIZES, VIRGINAIS E IRREPETÍVEIS

Os **piores episódios** selecionados do podcast

CITADEL
Grupo Editorial

2022

SUMÁRIO

APRESENTAÇÃO

Estarrecedor para quem vive disso. 94 participações já contratadas. Algumas suspensas ou adiadas, para algum dia incerto. A maior parte delas, simplesmente canceladas. Tudo em questão de horas.

Era a pandemia
começando a apavorar.

E palestras presenciais, como todas as atividades que exigem proximidade física e aglomeração, entraram, na quarentena, para a lista do absolutamente inegociável. Assim como shows, cinemas, teatros, discotecas, museus, quermesses, festas juninas, procissões e afins.

Contudo, quase ao mesmo tempo, em meio aos escombros, surgiu um novo mercado.

De fato.

Na esteira de uma avalanche de *lives* abertas, que transbordaram toda a saciedade, palestras remotas, para públicos restritos, conferiram algum lustro de exterioridade a eventos online, de cunho motivador. Custeados pelas mesmas organizações de sempre, cada dia mais encaixotadas em suas convicções e prisioneiras de seus jargões.

E tome
#reinvente-se,
#resiliência,
#propósito,
#integridade
etc.

Graças a tudo isso, é preciso dizer, muitos de nós ganhamos alguma sobrevida profissional, garantindo a manutenção, ao menos parcial, de nossas equipes.

Mas cabia aceitar as novas condições materiais de trabalho. Que incidiram sobre o modo de produzir discurso, de enunciá-lo, de comunicar com gestos, de fazer da própria face uma amostra privilegiada e representativa de um todo corporal condenado ao invisível.

Nesse cenário, pensei em modos de continuar comunicando — de um jeito próprio e mastigado — as ideias que considero as mais lindas, das mais variadas fontes. Parecia haver mais tempo disponível. A reclusão cadenciava ritmos, aumentava durações e esticava intervalos.

Decidi fazer vídeos contando o que me vinha à cabeça nos primeiros instantes de vigília, logo após o despertar. Surgiu, então, o *Despertar inspirado* — também convertido em livro pela Citadel, com os comentários ricos e auspiciosos da Monja Coen.

Ao mesmo tempo, meus colegas do Espaço Ética, escritório onde trabalho, sugeriram um *podcast*. Sem entrevistas. Uma simples manifestação semanal, um pouco mais longa, sobre uma ideia específica, tida ou não por filosófica, que tivesse algum vínculo com os episódios daquela estranha e inédita vida que estávamos vivendo.

Nasceu assim o *podcast* *Inédita Pamonha*

Esse título foi sugestão minha. Vale lembrar, todavia, que não obteve de pronto unanimidade na equipe. Nem o "inédita" nem o "pamonha" pareciam agradar muito. Menos ainda a justaposição de ambos.

Afinal, nem todo mundo sabe o que é pamonha, ou gosta da iguaria. Ainda, "pamonha" não flui bem com "inédita". Não combina, diziam. E "inédita", por sua vez, não é um termo cujo significado salta imediatamente à mente. Exige um segundinho incômodo de reflexão.

Os argumentos eram plausíveis. Por exemplo, no Rio Grande do Sul, estado onde tenho muitos seguidores, nem todos conhecem pamonha. Não é comum por lá. Há também quem não goste de pamonha, o que poderia determinar uma repulsa inicial.

Além disso, o termo "inédita" não está entre os dez mais usados no cotidiano. E a sua interação com "pamonha" tampouco é a mais esperada.

Ainda assim, resolvi bancar a parada. Por acreditar no sucesso de uma história repetida em palestras e entrevistas. Que, durante muito tempo, foi a mais citada quando se pretendia esclarecer a minha identidade. Não por acaso, o ex-aluno Fabio Porchat, quando perguntado sobre mim em entrevista ao Jô Soares, começou sua resposta com "Ah, o (professor) da pamonha".

Faltava ainda pagar as contas. Detalhe sempre espinhoso quando se é professor. Lembrei de dois amigos: Gerson e Luis. Grandes executivos. Expliquei do que se tratava. E ambos, prontamente, no próprio telefonema, asseguraram o engajamento de suas organizações como patrocinadoras.

A eles, minha eterna gratidão.

Trinta meses depois, o *podcast* já ganhou seus troféus. Arrematou alguns louros. Caminha para 150 episódios, com números de audiência significativos. Sobretudo por se tratar de um conteúdo que não contempla eventuais ganhos materiais por parte do ouvinte.

Números que despertaram o interesse do editor Marcial, da Citadel, editora que reúne alguns dos títulos mais lidos no país nos últimos anos — o que lhe permite iniciativas de êxito tão duvidoso quanto esse projeto editorial que você tem em mãos. Gratidão ao amigo pela coragem.

O resto fica por conta dos episódios. Aqui selecionamos dez. Os dez piores. Tal como prometido na capa.

Exigência do editor, cansado de publicar sempre o que há de melhor. Ele tem razão. Ninguém aguenta mais ver o melhor das pessoas.

As redes sociais são como uma tonelada de doce de abóbora. Deliciosa nas primeiras colheradas e enjoativa a ponto de não se suportar mais dali para frente. Vidas sorridentes ou cheias de biquinhos em bocas preenchidas de pessoas superfelizes. Cenários lindos, espíritos leves e corpos secos.

De fato, propor o melhor seria mais do mesmo. Por esse motivo, aqui só oferecemos o pior. O que escapou ao controle. O que deu errado. O que não alcançou propósito algum. Ou o que nunca teve um.

Aqui tudo é mais parecido com a vida de verdade. A nossa, de carne e osso. Sobre a qual você pensa de vez em quando, com a estranha impressão de que tudo se equivale. Porque nada vale. Não em si mesmo.

Até que uma nova ilusão toma conta do espírito. E você, encantado, consegue se divertir mais um pouco. Nada como acreditar no valor das coisas para se entreter com elas. E se o Universo infinito nos reduz a nada, azar o dele. Se me agrada, é o que importa. O resto a gente vê depois.

E o bom disso tudo é que o tempo passa. Fazendo escoar, na ampulheta trêmula do eu acuado, a areia grossa de uma existência que começou no susto. Que só foi ganhando valor de fora para dentro, de tanto repetirem suas belezas.

Mas que no real do dia a dia foi agredida pelo mundo, mais do que aguentou. E agora conta com 38 pílulas diárias. Para aprisionar naquele "pote até aqui de mágoa", um resto de Vida que, desesperado, não sabe por onde cair fora. E clama sedento pela tão esperada "gota d'água".

Não. Nada disso. *Inédita Pamonha* tem pouco a ver com ridículas edições teatralizadas, de personagens encarnados por gente sem talento nenhum para representar. Aqui mostramos o pior. Porque do nosso melhor o Universo não aguenta mais.

Os critérios que levaram a essa escolha específica dos episódios são muitos. E todos irrelevantes para a melhor degustação das explicações.

Quanto aos textos, bem, eles não são, claro, a exata transcrição do conteúdo oral veiculado pelo *podcast*. Foi preciso dar uma boa melhorada. Sem comprometer a oralidade, que faz toda a diferença.

Em estado bruto, pareceram-me sofríveis, devo confessar. Se o leitor não achar primoroso o que está a ponto de ler, saiba que estava bem pior antes dessa recauchutagem.

Agora chega. Apresentação feita. Espero que os episódios possam alegrar e divertir. E o propósito terá sido alcançado com folga e algum charme.

Narrador:

Começa agora o *Inédita Pamonha*.
Por instantes felizes, virginais
e irrepetíveis.

EPISÓDIO 1

“Inédita” e “Pamonha”

Olá! Seja muito bem-vindo. Este é o *podcast Inédita Pamonha*. Eu sou Clóvis de Barros Filho. Toda quinta-feira estarei por aqui, na sua plataforma de preferência.

Neste *podcast* não haverá entrevistas. É sempre bom dizer logo do que se trata, para corrigir expectativas e evitar erros de audiência.

Nada de entrevistas, portanto.

Sei que não costuma ser assim nos mais conhecidos e de grande porte. Estamos cientes de que perdemos muito com essa escolha. Não há dúvida. A riqueza da interação, do diálogo, da diversidade de entrevistados, da competência específica de cada um deles.

Por outro lado, não ganhamos nada de relevante em troca. A não ser a mirrada certeza de que, estando eu a postos, a atividade ocorrerá. O risco de um acidente que inviabilize o episódio cai no mínimo pela metade.

Desse modo, se você, por algum problema ou desvio, costuma gostar do que eu digo, ou do modo como me expresso, já sabe de antemão o que vai encontrar. E se, porventura, não for esse o caso — o que é mais comum e razoável —, você também já sabe o que deve evitar e o fará com certeza.

Aqui, no *Pamonha*, não haverá surpresas, portanto. Para o bem e para o mal.

Inédita Pamonha não é um curso. Cada episódio tratará de um tema de ocasião. Esgota-se nele mesmo. Sem dar sequência obrigatória ao anterior ou anunciar o seguinte.

Aqui, importam, antes de tudo, as ideias. As reflexões. E como elas interagem com o pensamento mais ordinário do nosso cotidiano. Desse modo, dispomo-nos a refletir para viver bem. Articulando pensamentos para uma vida boa. Ou, mais modestamente, para a melhor vida possível.

O lustro da erudição pomposa — e o eventual uso social acaciano das informações de almanaque —, eis, com certeza, o último de nossos propósitos.

O termo "acaciano", que acabei de usar, homenageia o Conselheiro Acácio. Personagem fantástico de Eça de Queirós, especialista em dizer coisas óbvias de um modo pomposo e sofisticado.

Retomando. Os dados daqueles que as enunciaram — refiro-me novamente às ideias —, em que época, a que escola de pensamento pertencia, o que pretendia da vida, de onde veio, como morreu, tudo isso nos interessará bem menos.

Se, ao longo dos episódios, citações de autoria houver, limitar-se-ão a referências de tempo e espaço que permitirem esclarecimento sobre suas reflexões. Assim, antigos, modernos, contemporâneos poderão figurar lado a lado, se o tema tratado assim o requerer.

Tampouco nos importará muito a maior ou menor legitimidade dos pensadores, eventual consagração nos campos do saber a que se filiaram. Filósofos, cientistas, historiadores, romancistas, poetas, todos serão bem-vindos se contribuírem para o assunto do dia.

Pois muito bem, removidas da frente as bazófias de praxe, o nosso *podcast* está no ar.

Belisquem-me porque não é hora de estar sonhando.

E o único propósito digno de nota é fazer você, ao término de cada episódio, querer, de verdade, ouvir o próximo. Para que mantenhamos, semana a semana, um contato renovado pelo desejo e nada mais. Prazeroso, alegrador e feliz.

O objetivo é pensar e falar sobre a vida. A nossa vida. Essa que nos toca viver, um dia após o outro.

Vida vivida no "mundo" ou no "real" dos filósofos. No "Universo" dos astrofísicos. Na "Terra" dos geógrafos. Na "imensidão" dos poetas. Na "pólis" dos políticos. Na "escassez" dos economistas. Na "liberdade" dos moralistas. Na "convivência" dos éticos.

Você, claro, poderá ouvi-lo quando, onde e, sobretudo, se quiser. E o meu doce augúrio é que o faça por muito tempo.

O título — se é que *podcasts* têm um — é mesmo *Inédita Pamonha*. Você ouviu direito. Duas palavras apenas. Cada qual pelo seu motivo.

O "inédita" dá ênfase ao ineditismo da vida. Chama a sua atenção para cada instante da existência. Para os encontros e as experiências sempre únicos. Diferentes de quaisquer outros. Que não se deixam comparar. Nem com os já vividos, tampouco com os projetados no devir.

O esforço vale a pena.

Afinal, a tendência, no abilolamento estéril do cotidiano, costuma ser em sentido contrário.

A desvalorização do instante em nome das durações. Eu mesmo, nos segundos inaugurais deste primeiro episódio, já manifestei, mais de uma vez, minha pretensão de que o nosso *podcast* dure muito tempo.

No arroz com feijão do dia a dia, parece não haver outro remédio, acabamos acreditando que "os mesmos" vão se seguindo. Mais ou menos na mesma. Que os eventos se repetem. Que as pessoas com quem convivemos são sempre aquelas, as mesmas.

Até cada um de nós, na hora de considerar esse euzinho que teima em nos acompanhar, se cerca de atributos que raramente mudam, como se fôssemos, para sempre, o que sempre fomos. Eu mesmo repito que sou professor há quase meio século.

Pois muito bem. O *Inédita Pamonha* chegou para insistir no contrário. Valorizar o instante em que se vive. Destacar a imediatidade do tempo vivido. E denunciar o óbvio: que cada segundo da vida é incomparável, irrepetível e virginal. E, por isso mesmo, saboroso como nenhum outro instante da vida pode ser.

Assim, você, você mesmo que me ouve agora, por mais fiel que seja aos meus *podcasts*, certamente nunca viveu o que está vivendo neste instante. Nunca experimentou o que está experimentando. Tampouco voltará a fazê-lo.

De fato. Os encontros de cada vivente com o seu mundo, condição de suas experiências, substância de suas existências, são sempre entre corpos e espíritos que nunca foram, nem voltarão a ser, aqueles mesmos que ora se encontram.

Para que pudesse haver rigorosa repetição de experiência, todos os envolvidos teriam que ser idênticos. O que exigiria uma permanência estranha ao mundo da vida.

Insistimos nisso. A repetição rigorosa, na vida de carne e osso, é uma impossibilidade. O que faz de cada segundo uma singularidade, na acepção mais rigorosa do termo, repetível, talvez, somente em outras dimensões de tempo e espaço.

Nosso projeto de identificação dos valores da vida, assunto central deste *podcast*, funda-se nessa sua finitude radical. Não só a do óbito, escancarada no velório. Mas a finitude ainda em vida. Dos seus instantes que escoam por entre os dedos. O "nunca mais" de cada segundo vivido. Em que cada um dos seus momentos é tão único que acaba se perdendo para sempre.

Propomos aqui, por acreditar muito nisso, que todos os valores da vida, veja bem, eu insisto com palavras cheias, *todos os valores da vida*, sem exceção, entendidos, esses valores, por tudo aquilo que a vida tem de bom — a ponto de compensar as colossais mazelas que dela também fazem parte —, só podem ser percebidos como tais, como valores positivos, a partir da certeza da sua finitude.

Veja só.

Se zelamos pela nossa saúde, pela segurança dos nossos filhos, pelo sucesso dos projetos profissionais, pelo meio ambiente, pelo prazer dos encontros, pela tranquilidade da alma, pela justiça na convivência, pela riqueza ou poupança, pela glória ou reputação, ou por qualquer outro bom motivo que nos mobilize, é porque sabemos que pode "dar ruim". Que tudo pode "ir por água abaixo".

De fato.

Nossa saúde, a integridade física dos filhos, a prosperidade da empresa, as condições do planeta, a alegria do encontro, a paz, a justiça, o patrimônio e a celebridade do dia, tudo está por um fio. Pode desaparecer a qualquer momento. E é justamente por isso que conta tanto para nós. Motiva nosso empenho. Requer nossa proteção. Adquire valor.

Isso foi para o "inédita".

Ainda resta o mais pitoresco. O que teria a ver a "pamonha" com tudo isso?

Pois bem.

A história da pamonha vem dos tempos em que comecei a dar palestras. Aqueles mesmos em que "amarrávamos cachorro com linguiça", como dizia meu velho, e agora repete, saudoso dele, meu filho.

Buscava, desde então, uma maneira de mostrar quanto a expectativa de uma vida marcada pela repetição era não só falaciosa, mas também apequenadora do seu valor.

Então, eis a narrativa. Imaginemos juntos.

Você conduz seu veículo por uma rodovia. Com fome. Em certos lugares do país, há pamonharias pelas estradas. Você, então, decide parar em uma delas. Seu estômago está completamente vazio. Uma expressão muito usada em todo canto é "verde de fome", quase desmaiando.

O encontro com a pamonha tem início já do lado de fora daquele estabelecimento. Pelo olfato. O aroma da pamonha invade as narinas e produz seus efeitos. A salivação aumenta. O apetite se aguça. O passo aperta. Você se vê atraído.

Já da porta você vê as pamonhas empilhadas. Todas encapadas na palha, segura por um elástico amarelecido que agarra no meio das quatro laterais.

Você, depois de fitar de relance a moça do caixa, pede logo duas. Uma de sal e outra doce. Pronto. Para acompanhar, suco de milho. Afinal, quem tá na chuva...

Você paga pelas iguarias solicitadas, senta-se e começa a desembrulhar a primeira. Salgada, de queijo coalho e linguiça.

Livra-se, sem paciência, de tudo que impede a primeira mordida. Finalmente, você abre a boca e abocanha. Os dentes se juntam separando, sem cuidado, o ingerido do remanescente entre os dedos. Houvesse alguém observando, teria notado a deselegância nada discreta de suas gengivas.

O naco de pamonha sorvido é saboreado, mastigado e engolido, proporcionando uma experiência incrível. Olfato e paladar trabalhando em parceria hedônica, como uma dupla de jogadores de tênis de mesa. Em íntima concatenação de iniciativas. O deserto do estômago mostrava-se o cenário ideal. Acolhendo, invaginado, a invasão desbravadora desse primeiro teco de pamonha.

Outras mordidas se seguem. O milho e o açúcar já degustados te fizeram muito bem. Você se encontra agora bem melhor do que se encontrava ao chegar. A repetição deselegante do verbo "encontrar" na frase anterior se justifica pela clareza alcançada.

O certo é que a pamonha decretou vida melhor. Ganho de tesão existencial. Mais vontade de viver. Mais energia vital. Potência para agir e pensar. É o que podemos chamar de uma pamonha alegradora.

Você, então, entusiasmado com o bom momento, abandona a singularidade da experiência e resolve tirar uma conclusão de maior amplitude. Extensiva a qualquer outra experiência similar.

E qual é?

Ora, se essa pamonha me alegrou, então pamonhas me alegram. Em qualquer tempo e lugar. Você deu adeus ao episódico para, servindo-se dele, propor uma espécie de lei afetiva.

Pamonha é igual a alegria.

Ainda que restrita ao seu próprio caso.

Você, que não tem pretensão nem despudor de guru, concede tranquilamente que, com outras pessoas, esse bem-estar determinado pela ingestão da pamonha possa não se produzir.

Mas não abre mão de que com você está mais do que provado.

Sendo assim, pamonha e alegria correspondendo sem mais, figura-se lógico e razoável passar à segunda. Que, inclusive, já havia sido paga.

No entanto, apesar de todo o esforço de inteligência realizado, que, por indução, te permitiu alcançar um conhecimento profundo de si mesmo, a ingestão dessa segunda pamonha já não alegrou tanto.

Não por ser a doce, que, aliás, goza da sua preferência.

De duas, uma. Ou a conclusão obtida da ingestão da primeira pamonha não se sustenta, ou você está avaliando mal essa segunda experiência.

Não, não. Essa segunda não parece tão boa. Tenho certeza.

Talvez por encontrar, na parte mais digestiva do sistema, outra já instalada. Sendo borrifada de sucos gástricos, como um veículo em um lava-rápido. Fato que não ocorreu com a primeira.

É inegável. A segunda pamonha não se mostra tão apetitosa. Anuncia-se levemente enjoativa. Propõe outra experiência, menos auspiciosa, quando comparada com a pamonha anterior.

Mesmo que fosse do mesmo tacho, da mesma receita, do mesmo milho, do mesmo açúcar, praticamente igual à primeira, ensejaria experiência muito diferente.

Afinal, o comedor da segunda pamonha já não é mais o mesmo. Fora transformado pela primeira pamonha. Mais satisfeito. Mais cheio de milho. Taxa glicêmica mais elevada. Menos fome.

Desse modo, o encontro da segunda pamonha com o segundo comedor de pamonha foi inédito, distinto do primeiro. E menos alegrador.

Mas você, resistente que é, fiel à sua fórmula de vida feliz, comedor de pamonha conhecido e inveterado, levanta-se, dirige-se ao balcão e arrisca a terceira pamonha.

A ingestão dessa última começa mesmo a incomodar, a apequenar, a produzir dano digestivo, a agredir, a enjoar de verdade — em suma, a entristecer. A terceira pamonha se apresenta como uma espécie de fronteira clara entre o mundo do bem e o mundo do mal.

Você não acredita. Não quer acreditar. A mesma pamonha. No mesmo estabelecimento. Pamonha que trouxe alegria para a vida, num passado tão recente, eis que demonstra agora tamanha contundência.

Mas você, tal como na degustação de madalenas da busca do tempo perdido de Proust, ainda se recusa a admitir que a tão adorada pamonha, decantada em verso, prosa, palestra e *podcast*, possa ser tão maravilhosa e tão nefasta quase ao mesmo tempo. Mesmo que só o seu caso esteja sendo considerado.

E, como pairam dúvidas, só resta a prova dos nove. O tira-teima. Você não deixaria por menos. A quarta pamonha.

Essa faz mal de verdade. Tanto que você teve que terminar de degustá-la no vaso.

E a décima pamonha, que você degustou por fidelidade à própria identidade de comedor de pamonha, essa o levou a óbito.

Nada como uma bela morte para coroar uma bela vida. Melhor assim.

Você não suportaria mesmo continuar vivendo, tendo que aceitar a dura verdade. A de não ser tão comedor de pamonha como acreditava.

Isso de ter que se redefinir é mesmo insuportável. Melhor é matar o corpo. Esse que teima em nos desmentir. Que, com atrevimento, joga na nossa cara que sempre estivemos equivocados sobre nós mesmos, sobre o que a vida toda pensamos de nós. Quem ele pensa que é, matéria orgânica volúvel e infiel, para escancarar nossas ilusões desse modo?

Pois agora acho que ficou mais claro esse curioso título do nosso *podcast*.

A inédita pamonha corresponde à inédita experiência de vida, vivida na irrepetibilidade discreta dos instantes. Vida sem volta, inclinada para um devir desconhecido, que só se repete para percipientes grosseiros, alienados de carteirinha ou covardes que se deixam cegar.

Porque, quando você sai de casa de manhã e volta no final da tarde, nem você nem a casa que você deixou pela manhã continuam os mesmos.

Por isso, apesar da aparência de regresso, de retorno ou de simples volta, o que há na existência é sempre um caminhar para a frente no mundo, onde nada se repete, onde tudo é inédito e virginal, e onde a vida assume a sua dimensão fantástica, aventureira e radicalmente irrepetível.

Quanto ao resto, bem, ou é incapacidade sua de perceber a mudança inapelável do real ou é uma vontade feroz de puxar o freio de mão da vida e travá-la, congelando-a, de preferência, naqueles momentos que não foram francamente desagradáveis.

Quem sabe os mais legais de sempre...

O escritor Lamartine, lá pelo meio do século XIX, em seu poema *Le lac* (O lago), pede ao tempo, com genial lirismo, que suspenda seu voo. Que corra para os infelizes, mas que deixe os felizes em paz.

Entretanto, por mais que você tenha essa pretensão, de puxar o freio de mão e não seguir adiante, acho que não tem outro jeito.

E, com o coração destroçado, o genial poeta lamenta, conversando com o lago, a morte daquela que, em outro tempo, ali mesmo sobre aquelas águas, lhe permitira viver o mais intenso amor e o fizera tão imensamente feliz.

Pelo que pude perceber nessas quase seis décadas vividas, o tal do mundo atropela sem piedade todos aqueles que, de um jeito ou de outro, suplicam para descer. Como na montanha-russa com *loop*, quando o carrinho se põe em marcha. Não adianta gritar. A vida acaba seguindo seu fluxo, arrastando você junto, todo borrado de pamonha digerida.

Seja bem-vindo. Tá feito o convite. Tomara que você me acompanhe e que goste das coisas que pensarmos juntos.

EPISÓDIO 2

A ver navios

Os antigos articulavam e manifestavam seus pensamentos por meio de relatos míticos. E o faziam maravilhosamente, diga-se para registro. A riqueza imaginativa desses relatos segue sem par até hoje. Que o comprove o sucesso dos filmes e das séries que neles se inspiram.

Suas narrativas contavam sempre com muitos deuses. Deuses que, como sabemos, não morrem. Nunca. Eis seu atributo máster: a eternidade. De modo que nenhum deles jamais morreu. O que nos autoriza a concluir que continuam por aí até hoje, aprontando das suas.

Que cara é essa, querido ouvinte? Então não acredita?

Como explica, então, tantas aeronaves desaparecidas? Embarcações gigantescas indo por água abaixo? Triângulo das Bermudas atraindo toda a geometria para o seu interior? Helicópteros sugados? O desvio bisonho e bizarro do Titanic em direção ao *iceberg*? Conduzido por mãos de comandantes super-hiper-treinados, tarimbados e preparados?

Mistérios e mais mistérios.

E os tsunâmis então, como no Japão e no Sudeste Asiático; terremotos, como o de Lisboa; furacões, como os que assolam o Caribe e os Estados Unidos regularmente; os vulcões, como o Vesúvio?

Ah, você diz, os tsunâmis resultam de um atrito violento na acomodação de duas placas tectônicas no fundo do mar. Todos os eventos naturais que você citou têm suas causas, sejam elas estritamente naturais ou objetivadas em iniciativas humanas.

Ótimo, respondo eu. E quem você acha que tira essas placas do lugar, a ponto de suspender tudo que tem em cima e provocar uma onda dessas proporções? O que você chama de causas naturais, eles chamavam de deuses.

De fato.

São esses entes da natureza a que você se refere os tais deuses dos relatos míticos. E vice-versa. No final, estávamos falando da mesma coisa. Não havia por que discutir. Só não vê ou percebe a presença desses deuses no mundo de hoje quem está totalmente à margem da realidade.

Hesíodo é um dos antigos contadores de história. Um poeta. Nas suas poesias relatava os mitos do seu tempo. E como não poderiam faltar os deuses, ele nos deixou a própria *Teogonia*. Escrita, segundo os entendidos, sete séculos antes de Cristo. Há 27 séculos, portanto, e mais alguns dias de lambuja.

O que significa Teogonia?

Teo (que vem de *théos*) significa deus. E Gonia (que vem do verbo *gennaô*) significa engendrar, fazer surgir.

Surgimento dos deuses, portanto. Que, por esses tempos de Hesíodo, coincidia, como dissemos, com o surgimento da natureza, do Universo. Esse nascimento chamamos de cosmogonia. Desse modo, a teogonia e a cosmogonia de que estamos falando eram, naquele tempo, a mesma coisa. Significavam o nascimento da mesma realidade.

A pergunta que surge aqui nos espíritos mais argutos é bem conhecida. O que, então, havia quando ainda não havia nada? Não é uma boa pergunta? Afinal, como poderia ter surgido um primeiro algo se não houvesse nada, absolutamente nada, antes?

Segundo o nosso poeta, tudo teria começado com um deus chamado Caos. Esse deus não tinha forma humana. Nada de rosto, por exemplo. Muito menos barba branca ou olhos azuis.

Para representá-lo na mente, era preciso — e ainda o é — recorrer a outros instrumentos.

O deus Caos era um vazio obscuro onde não se distingue nada direito. Também, pudera. Se é vazio, não há nada. Se não há nada, como distinguir ali o que não há?

Como não é muito fácil imaginar um simples vazio, vamos tentar por outro caminho.

O deus Caos é representado por uma espécie de abismo. Uma queda livre. Num lugar sombrio. Mais para escuro mesmo. Meio lúgubre. E com muita umidade. A imagem que resulta disso não é para ser agradável. Pelo contrário. Caos é apresentado como aterrorizante.

Um buraco escuro — vou evitar aqui a palavra "negro" para marcar distância com o conceito tão difundido da astrofísica — onde a queda livre não tem fim. Abismo cego, sombrio e ilimitado. Começou a cair, boa sorte. Não tem onde se agarrar. E a queda não termina nunca. Movimento vertical nas trevas sem previsão de chegada.

Sempre me perguntei, desde criança amedrontada, como seria a queda de uma aeronave no meio do oceano à noite. Só que, no caso do deus, a água não chega nunca. Não sei dizer o que é pior.

Bem. Conseguiu imaginar o jeitão desse deus aí? Não pode dizer que não me esforcei para te ajudar.

Subamos juntos mais um degrauzinho.

Caos não é deus que se presta somente à imaginação. É possível, inevitável até, senti-lo a partir do que imaginamos. Todos nós, ao concebermos a falta absoluta de chão, sentimos no próprio corpo os efeitos dessa queda sem resistência.

Se sua imaginação estiver com sinal instável e não afetar você como deveria, os parques de diversão costumam oferecer um gostinho dessa sensação. Neles você vai poder usar olhos, ouvidos, mãos e, desse modo, as emoções são mais garantidas, mesmo nos casos de couraça grossa.

Certa vez, num desses parques, minha filha mais nova, a Natália, me convenceu a acompanhá-la numa atração que acabara de chegar: o elevador que despenca.

O amor por ela, como sempre, superou a certeza do desagrado iminente. Mas, por certo, não antecipei com adequação a intensidade do desconforto que sentiria. Se o tivesse feito, nem mesmo ela teria logrado minha companhia.

E olha! Ou melhor, escuta!

Sim, você mesmo, aí do outro lado, que me ouve agora. Esse despencar do deus Caos é sem chão. Não tem fim. Espaço de vertigem, de queda livre, de confusão. Como uma imensa garganta, diz o especialista Jean Pierre Vernant, de abertura suficiente para tudo engolir ao mesmo instante, na mesma noite indistinta.

Pois é. Nesse tempo em que só dava ele, não havia Terra. Nenhum corpo celeste. Não havia nada. Nada que tivesse massa. Não deveria haver, portanto, força gravitacional. O que nos levaria a uma queda sem causa.

Mas essas sofisticadas explicações astrofísicas foram formuladas antes de ontem. Em tempos de Hesíodo, havia queda sem gravidade, sem nenhum problema. "Tava tudo certo."

Assim são os mitos. Permitem imaginar e sentir para além das explicações da Física.

E se, para você, estar ciente de que "a ocorrência mítica relatada não encontra abrigo no conhecimento científico do nosso tempo" representar desconforto, saiba que os próprios cientistas de hoje têm plena consciência — ou deveriam ter — de que suas teorias, tão cheias de verdade no momento em que são enunciadas, acabam postas abaixo, mais cedo ou mais tarde, pelos seus sucessores.

Portanto, todas as certezas de ocasião só são científicas porque falseáveis. É só uma questão de tempo.

E você, que tanto ansiava por alguma coisa com massa para justificar a queda no Caos, pronto, regozije: seus problemas acabaram. Valeu a pena esperar.

Porque o segundo deus da Teogonia é justamente Gaia. A Terra. Antes de mais nada, nascida do Caos e de nada mais. Nele concebida, por ele gestada e parida. Gaia é filha de pai solteiro. Um pai pouco amável. Mas que acabou proporcionando a todos nós um mundo para chamar de nosso.

Terra firme. Cheia de massa. Capaz de atrair com força para si objetos enormes. Muito maiores do que você. De manter a Lua girando em torno de si para deleite dos apaixonados.

A mesma Lua que, como hoje supomos, teria desgarrado de Gaia e se constituído em tempo recorde como satélite, após colisão e fraturas expostas, com um corpo celeste de envergadura suficiente para causar tal dano.

Gaia. Viva a nossa Gaia. Com chão à vontade para você pisar. Bem firme e tranquilizador. Gaia é o contrário de Caos. Pura solidez. É bem visível e palpável. Sobre ela tudo que se encontra tem forma fácil de distinguir.

É alma em corpo que não despenca mais. É firmeza suficiente para interromper qualquer queda livre. Sobre Gaia, deuses, humanos e demais viventes podem existir, caminhar ou estar plantados, sem se estabacar o tempo todo.

Gaia também é planeta viajando em velocidade espantosa ao redor de sua estrela. A bordo do qual nos encontramos desde sempre. Gosto mais da imagem com humanos integrando a nave planetária do que simplesmente nela pegando carona como passageiros externos e exteriores.

Gaia é mãe de todos. Mãe acolhedora. Tranquiliza. Protege. Aquela que nunca nos rejeita. Que aceita de volta seus filhos pródigos. Que abre a porta correndo quando o filho chega gritando que um cão furioso lhe persegue ao encalço, lambendo-lhe os calcanhares.

Gaia também é avó. Vovó italiana que reúne toda a família aos domingos. Que abraça com ternura e carinho, cheia de entusiasmo. Avó que está sempre lá. Para nos dar apoio. Em todos os momentos. De celebração e de devastação.

De Gaia, mãe e avó geradora, surgirão muitas outras divindades, muitas mesmo.

E assim, por muito tempo, eram esses dois os deuses de plantão. A queda livre no escuro e o chão firme para interrompê-la. Caos e Gaia.

Sei o que pensou.

Pobre Gaia!

Nossa mãe estava mal-arranjada com esse outro deus tenebroso lhe servindo de cenário. Companhia mais indigesta não poderia haver.

De fato, o deus Caos só não é mais mal-encarado por falta de cara. Reunião do que pode haver de mais tenebroso em torno do nada que amedronta.

Essa última frase ficou confusa, eu sei. Mas é de propósito. Caos era caos. E de clareza não aceitava nem mesmo a própria definição. Sua companhia não devia ser nada agradável.

Mas eis que as coisas começam a melhorar. Pelo menos na aparência mais imediata. Porque Gaia arrumou um namorado. E, como não havia outra origem possível para o afortunado mancebo, ele surgiu de dentro dela mesma.

Na época, ou era desse jeito ou não era.

Ah! Ia me esquecendo. Tinha o Caos. Mas como podemos supor, se só houvesse ele no Universo, Gaia permaneceria casta e imaculada.

O certo é que Gaia gerou um filho-deus muito do safado. E o fez sem a intervenção de um marido ou amante. Espontaneamente, portanto. Um rebento, que se converteu em duplo perfeito de sua mãe.

Esse filho de Gaia gostava muito das intimidades divinas incestuosas. E, assim, ele a possuía. Sexualmente. Como se fosse seu marido. Ou seu amante. Seu nome era, e ainda é, Ouranos. Urano para os íntimos. Que depois foi parar no céu. Ou melhor, tornou-se o céu.

Mas, antes de ir morar tão longe, Urano era grudado na mãe. No sentido mais estrito. Como um lençol com elástico por sobre o colchão. Por onde houvesse chão de Gaia, sobre cada centímetro quadrado de sua extensão, lá estava Urano a lhe cobrir.

E esse deus não dava folga. Um amante *full-time*. Manja? Copulante 24 horas. De segunda a domingo. Sonho de muitas desavisadas, imagino. Chegado numa atividade em lençóis como já não se encontra tão fácil por aí.

Com Urano não tinha essa de dores de cabeça, enjoos, fases difíceis ou crises de meia-idade. Nada de buscar coisa nova, dar um tempo, incrementar a relação ou chamar mais alguém. Tampouco brinquedinhos, afrodisíacos, géis ou oleosidades facilitadoras. Nada disso.

Era Gaia e mais Gaia e outra vez Gaia. Ao natural. Como vieram ao mundo. Uma, duas, três, sem repouso nem pílulas de reforço. Aliás, para quem se tornou o céu daquele azul limpo que conhecemos, a cor dos suportes químicos disponíveis para se ombrear a Urano é bem sugestiva.

Algum ou alguma de vocês poderá estar pensando: mas um Urano assim é tudo que uma amante poderia esperar. Fogoso até não poder mais.

Pois é. Mas, nesse nível de intensidade o tempo todo, não há quem aguente. E tampouco havia quem aguentasse naqueles tempos. Mesmo entre os deuses. Urano era avaliado pela régua estendida do exagero e do despropósito.

Por isso tomei a cautela de dizer que as coisas tinham melhorado para Gaia, mas apenas "na aparência mais imediata". A essas alturas, a companhia do distante e ensimesmado Caos já não era tão ruim assim.

Urano fertilizava Gaia. Deitava seu copioso sêmen nos grotões mais recônditos de suas vísceras. Mas, como não saía de cima, não permitia à pobre e divina amante sequer parir seus filhos. Era um desconforto sem tréguas. E não dos miúdos.

Até porque os filhos de Urano e Gaia não eram doces e cândidas criaturinhas a fazer cócegas no ventre de tão dadivosa genitora. Muito distante disso. Do sexo de Urano e Gaia surgiram os 12 titãs. Deuses da terra justamente, enormes, guerreiros e violentíssimos. Indestrutíveis e perfeitos fisicamente. De notável beleza.

Surgiram também três ciclopes. Todos ligados à tempestade, aos raios e trovoadas. Seus nomes eram Arges, Estéropes e Brontes. Atenção. Não confundir esses ciclopes com o Polifemo da *Odisseia*, filho de Poseidon, que, monstruoso também, comeu vários dos tripulantes do grupo de Ulisses e por ele foi cegado.

E finalmente foram concebidos os hecatônquiros, que não ficavam nada atrás dos irmãos. Pelo contrário. Eram os mais devastadores de todos. Mimosos monstrinhos com cem braços e cinquenta cabeças cada um. Seus nomes comporiam bem uma linha de meio de campo de algum time do interior: Coto, primeiro médio volante, protegendo a defesa, Briareu e Giges, mais avançados, abastecendo o ataque.

Até que um último desses filhos a ser gestado, o caçula, um tal Cronos, um titã de carteirinha, vendo a situação da pobre mãe, coberta sem trégua por um marido obcecado, resolveu dar-lhe uma mãozinha para que ela pudesse se livrar daquele peso em sua vida.

Para tanto, fez uso de uma técnica, digamos, contundente e eficaz.

Ele fabricou uma espécie de foice, com os metais fáceis de encontrar no interior da terra, isto é, no bucho da mãe. Poliu o metal com esmero nas pedras também abundantes por ali. E permaneceu à espreita, esperando a próxima investida peniana do pai.

Quando o dito cujo introduziu seu membro, o que não tardou muito, Cronos o amputou de um só golpe, com a afiadíssima foice.

Nossa!

Esse caçulinha divino, que sequer usara fraldas, impôs ao pai uma experiência muito dolorosa. Urano saiu de cima de sua amada lancinado pela dor. E num arroubo de desespero, foi parar lá em cima. No lugar do céu. Onde se encontra até hoje.

E todos nós daqui de baixo o vemos desde sempre. E sabemos bem por que aquele deus, outrora tão fogoso, agora vive tão prudentemente distante, acompanhado de anjinhos com asas brancas, vertendo lágrimas e lágrimas, que tantas enchentes provocam, de lamento e nostalgia.

O certo é que, por conta da iniciativa de Cronos, ele não conseguiu cobrir Gaia novamente. Gaia pôde finalmente parir todos os seus filhotes. Titãs, hecatônquiros, ciclopes e afins.

Pois muito bem, mas essa história não acaba aqui.

Cronos, por conta de sua coragem de ter livrado a mãe e os irmãos de tamanho desconforto, tornou--se uma espécie de soberano do Universo. O manda-chuva do pedaço. De todos os pedaços, na verdade.

Seu jeito de governar era bastante autoritário. Só ele mandava. E o resto, claro, obedecia.

E esse déspota nada esclarecido, por razões fáceis de compreender, tinha muito receio de que os filhos pudessem tomar o seu lugar, usurpar o seu poder — em suma, prejudicá-lo. Para matar na raiz essa possibilidade, ele decidiu engoli-los todos, um a um, pouco tempo depois de nascerem.

Como já dissemos, deuses não morrem. E os filhos de Cronos eram deuses. Desse modo, embora fossem engolidos pelo pai, não morriam. Permaneciam vivos em seu ventre.

Veja que interessante!

A geração dos titãs, a chamada primeira geração dos deuses, permaneceu um longo tempo no bucho da mãe Gaia, que não podia pari-los. E a geração dos filhos de Cronos, denominada segunda geração, também não teve infância tranquila. Tomavam banho com suco gástrico e estavam sempre ameaçados por algum arroubo peristáltico.

Essa estratégia não agradou nadinha a mãe dos rebentos. Cronos era casado com Reia, que também era sua irmã. Veio na fornada dos titãs. Filha legítima de Gaia e Urano.

Sei o que está pensando. Casal incestuoso. Que horror. Pois é. Mas nessa época as personagens eram muito poucas. Se não houvesse esse tipo de reprodução, não haveria como aumentar a população.

Outra que não estava de acordo com o destino dos netos era Gaia. Eis que as duas, Reia e Gaia — mãe e filha, mas também sogra e nora —, resolveram proteger o caçula da gula degustativa do pai. E entregaram-lhe gato por lebre; no caso, pedras envoltas em mantos no lugar de um bebê.

Cronos regalou-se sem se dar conta do engodo de que fora vítima.

Seu filho mais novo foi criado numa caverna. Por uma cabra. A famosa Amalteia. De seu chifre jorrava um delicioso néctar, comida especial e perfeita para deuses. Por isso denominada ambrosia.

E, assim, esse último filho foi protegido do pai. Ele mesmo que recebeu o nome de Zeus. Que se tornaria o maior de todos. O deus entre os deuses.

O grande Zeus de quem certamente você, que me ouve, já ouviu falar muitas vezes.

Quando Zeus tornou-se adulto, perguntou à mãe Reia por que ele vivia enfurnado naquela caverna e não podia sair dali e ganhar o mundo como todos os outros. Reia então lhe explicou o motivo. Observando que a coisa daria muito ruim se o pai Cronos viesse a saber do ocorrido e da sua existência fora de seu ventre.

Zeus, claro, ao saber daquilo, ficou muito indignado.

— Como assim?!??!? — disse ele com olhos ambíguos de fúria ainda incrédula. — Quer dizer que estou escondido nessa caverna há tanto tempo porque meu pai não pode saber do meu paradeiro? E meus irmãos estão aprisionados em seu estômago sem poder sair de lá? Foi isso mesmo que eu entendi, minha mãe?

Não havia outro remédio. E ele era pra lá de amargo. Encarar o próprio pai.

E assim travaram a grande guerra dos deuses. De um lado, Zeus e seus irmãos. De outro, Cronos e seus irmãos. A primeira geração dos deuses contra a segunda geração.

Pois muito bem, indo muito rápido, Zeus, depois de colossal e violentíssima batalha, acabou vencendo seus poderosos tios. A duras penas, é bom que se diga. Encarcerou-os nas profundezas do Tártaro, de onde, a princípio, não poderiam mais sair.

Reuniu-se após a vitória com todos os seus correligionários, que o ajudaram naquela terrível disputa, e distribuiu entre eles o Universo. Cada pedaço de tudo que tinha sob seu controle. Tal como faria um presidente recém-eleito com seus fiéis apoiadores.

E assim, graças a Zeus, abandonamos uma época de zona completa, fortemente inspirada no deus Caos, e caminhamos em direção a uma ordem, vislumbrada e pretendida por Zeus, de acordo com a qual cada um tinha seu lugar, seu papel, sua função. Todos os entes fariam parte desse universo ordenado, o Cosmos.

Nessa ordem, o vento ventaria e, ventando, cumpriria o seu papel. E porque o vento ventou, a maré marearia. E mareando, também cumpriria o seu papel. E porque a maré mareou, a chuva poderia finalmente chover. E chovendo, cumpriria o seu papel. E, graças a isso, as flores floresceriam. E o sapo sapearia. E o intestino peristaltaria, bomba excretora que é.

O joelho dobraria, posto que é dobradiça. O pulmão respiraria, porque existe para isso. O coração bombearia sangue pela mesma razão. E assim por diante.

Nessa grande ordem não haveria nada fora de lugar. Nada sem função. Nada que não fosse perfeito para realizá-la.

Esse modo cósmico de interpretar o Universo observado, como um todo ordenado, entrega ao humano, de bandeja, uma razão para existir e, portanto, um sentido para a sua vida.

Viveríamos, todos, nesse caso, para integrar, para fazer parte, para participar do todo cósmico. E a vida que deveríamos viver tendo como referência suprema o pleno funcionamento desse todo.

Imagine se eu acreditasse genuinamente ter nascido com alguma habilidade para explicar.

Por que disporia de tal habilidade?

Porque, assim sendo, estaria apto a cumprir meu papel específico nesta engenhoca cósmica que é o Universo.

Esse último funcionaria, portanto, como um motor gigante ou como um organismo vivo, cujo funcionamento dependeria de mim e de todas as outras partes. E cada uma delas, incluindo cada um de nós, humanos, encontraria nesse todo ordenado um sentido para a própria existência, para a própria vida.

Ora, nesse caso, a vida — que poderia ser infinitamente diferente do que é, que poderia estar ao sabor do vento, ao sabor do acaso, ao sabor de forças que eu não controlo e não consigo entender, que poderia, nesse caso, não ter sentido nenhum, portanto valor nenhum — ganharia, subitamente, uma explicação. E não uma qualquer. Uma explicação clara, ordenada e chancelada, simplesmente, pelo todo do Universo. Que forneceria, com plena autoridade, todas as respostas existenciais de que tanto precisamos.

Assim, sou professor, não há dúvida. E por quê? Porque tenho natureza de professor. Essência de professor. A prova disso é que a natureza me deu habilidade explicativa. Ela não o teria feito se não fosse esse o caso. A natureza não joga nada fora. Com ela não há desperdício.

Desse modo, se tenho jeito para ensinar, é porque ensinar é o meu papel, a minha função. É o que devo fazer. Eis o meu compromisso com o todo. Eis o dever fixado por essa ética cósmica. Pela qual somos responsáveis por algo muito mais precioso do que o nosso euzinho particular.

Se eu, porventura, entender isso, qual é a minha praia, rapidamente ficarei sabendo, no meio desta bagunça aparente da realidade, qual é o meu lugar. Qual é a vida que, para mim, vale a pena viver.

Caso contrário, estarei desencaixado. Desalinhado. Em desarmonia. E a vida para mim será muito ruim. Emperrada, empacada, entediada.

E, pior do que isso. Condenarei, com o meu desencaixe, o Universo inteiro a um funcionamento capenga, imperfeito e ineficaz. Tudo por causa de uma vida, a minha, que deveria ter sido vivida de certo jeito, mas não foi.

Pois muito bem, este foi o nosso segundo episódio.

EPISÓDIO 3

Invade e fim

"Eu te amo."

Para ser mais preciso, apenas "te amo". Com o sujeito oculto e uma palavra a menos.

Assim termina a mensagem enviada por Horácio à esposa, pelo WhatsApp.

Esse amor, a que se refere o emissor, vem de longe. Entretido a fogo lento e em convivência estreita.

Horácio e Cinira namoram desde a escola. Moravam no mesmo bairro. Iam e voltavam juntos. Era ela a esperar por ele, todos os dias às 6h50, em frente à portaria do prédio onde ele morava, na Ministro (Rocha Azevedo). O porteiro já a conhecia e também, sem falhar, abria a porta de longe resmungando pela caixinha preta:

— Passe pra dentro, que aí fora é perigoso.

Estudaram na mesma classe desde a 5ª série. Escolheram humanas no colegial. Esse último corresponde à nomenclatura antiga dos derradeiros três anos que antecediam o ensino superior. Exatas e biológicas eram as outras opções.

Hoje em dia — e já há certo tempo —, diz-se "ensino médio". E não tenho certeza de que a tal escolha da área permaneça. Na escola em que, recentemente, estudou minha filha mais nova, a grade curricular era a mesma para todos.

Voltando a Horácio e Cinira.

Passaram juntos no vestibular. Fizeram o curso de Direito na mesma faculdade. Prestaram concurso na mesma época. Ele para a defensoria. Ela para o MP.

Moram juntos há cinco anos.

E deram à luz Zeus. Ou a luz a Zeus. Menino, por enquanto introvertido e coberto de mimos. Ao contrário do deus que inspirou seu nome, adora o pai e só com ele se abre sobre as angústias de ocasião.

Num caso como esse de Cinira e Horácio, a mensagem de amor, aquele "te amo" com o qual abrimos este episódio, poderia passar batido. Ou, quando muito, ser respondida com um singelo e sovado "eu também" para evitar o vácuo.

Equivale a um "boa-tarde" para quem se vê nu todos os dias. Ou a um "te vejo à noite". "Tá tudo bem (entre nós)." Uma garantia de que o amor resiste ao dia a dia. De que o cotidiano, apesar de ter a faca e o queijo na mão, não consegue destruir o sentimento.

Mas os amores nem sempre são assim tão rodados e maduros.

O mesmo "eu te amo", ou só "te amo", também pode ser inaugural.

É o caso da mensagem de Miriam para Matheus. Enunciada pela primeira vez naquela madrugada espremida de domingo para segunda, logo depois de se despedirem, na porta da casa dela na Rua Topázio, bairro da Aclimação.

Tinham ido ao cinema do clube ver um das antigas. Romântico, como a situação exigia. *Em algum lugar do passado*, com o eterno Superman Christopher Reeve e a trilha sonora de Rachmaninoff.

Um "eu te amo" duro na queda esse da Miriam. Resistido até os acréscimos da prorrogação. Aguardado em insônias pelo amado e celebrado com muito entusiasmo por toda a galera de amigos.

Matheus é do tipo boa gente, querido de todos. Louco por Miriam desde a primeira vez que a viu na borda da piscina, num biquíni que sugeria, como poucos, as delícias fartas que tapava.

O rapaz, é bom que se diga, há meses, já assumira, perante todos — como se fosse preciso —, seu encantamento; dizia-se apaixonado por Miriam nos quatro pneus e estepe.

Essa segunda mensagem — enunciada pela cortejada jovem em atropelo arfante, olhos bem nos olhos e seguida de movimento brusco de ruptura, para sair do carro e escancarar a própria ausência —, pois bem, essa segunda mensagem nada tem a ver com o "te amo" de Horácio para Cinira.

É que "aí são outros quinhentos", diria dona Nilza, minha mãe. "A coisa muda completamente de figura", ela costumava completar, com aquela ênfase graciosa de articulação silábica, acentuada e lenta, no "com-ple-ta-men-te".

Nesse caso, o coração dos amantes dispara. A potência sobe. A alegria toma conta. Vira euforia.

Quem nunca, não é mesmo? Como é bom sentir o que sentiram Matheus e Miriam naquele momento.

De fato.

Amor apaixonado e correspondido. Pode acontecer várias vezes ao longo da vida. Mas, como sugere Bauman, cada uma dessas experiências é tão intensa e singular que nas suas particularidades não se deixam somar. Cada uma é uma. Um pouco como a morte. Que também é única e só acontece uma vez.

Quem nunca saiu cantando, dançando, braços para cima, ao ritmo de uma música sem som, por conta de um "eu te amo" em diagonal, acalentado a fogo lento, na chama de uma esperança nem sempre vigorosa, às vezes cambaleada pelos temores da indiferença e do desdém?

Até eu, ao longo desses quase 60 "dias de finados" vividos aos trancos e barrancos, mas contadinhos no calendário, também já fui contemplado com algumas poucas manifestações de afeto amoroso desse jaez, esperadas por mim, na espera e na esperança, num banco duro de reservas e debaixo de chuva.

Raras e mal distribuídas manifestações, diga-se, nessa minha — já longa demais — trajetória entre a maternidade e a cova, que acena assobiando, exigindo pressa, como faziam os comissários nas estações de trem, apressando com apitos estridentes as dolorosas despedidas.

Pensando bem, até que não foram tão poucas assim essas declarações de inopino de que fui destinatário. Se cabem nos dedos de uma única mão, é porque mãos são assim mesmo, cheias de dedos.

Mas cada uma é tão única e incomparável que não há como simplesmente justapô-las.

E olha que todo esse amor que pude despertar exigiu muita maturidade e elevação espiritual por parte daqueles que me amaram. Porque, no meu caso, o tal do mundo sensível — aquele mesmo, das aparências, percebido pelos sentidos como as sombras no fundo da caverna, o mundo de orelhas, narizes, caras e bocas, ventres e apetrechos –, bem, esse mundo nunca, mas nunca mesmo, deu um empurrãozinho a meu favor.

Muito pelo contrário. Isso de empurrão da aparência, por aqui, só mesmo ladeira abaixo.

Voltando ao "te amo".

O que será que os emissores Horácio, Miriam ou qualquer outro estarão querendo dizer com essa mensagem?

Que se trata de um sentimento inicialmente positivo. Disso podemos nos fiar com alguma certeza.

Mas reconheça, querido ouvinte pamonheiro: dedicar um episódio ao amor para concluir que se trata de um sentimento positivo é muito pouco dizer.

Por isso, eu insisto:

O que estariam sentindo no momento em que escreveram suas declarações? A que corresponderia o tal amor por eles enunciado e anunciado, nessa forma verbal do presente do indicativo, na primeira pessoa do singular?

Se no cotidiano, conforme dissemos, a troca de mensagens com esse teor pode atender a um propósito semântico epidérmico de que o amado significa algo de especial para o amante que se declara, nada impede que aqui neste *podcast* possamos ser um degrau que seja mais exigente.

Se estiver disposto, venha comigo.

Os poetas têm suas fórmulas.

"Deserto", "céu azul", "estrela", "mar", "oceano", "lago", "aquário", "imensidão", "infinito", "abismo", "vendaval", e por aí vai, ao sabor do talento e das rimas.

Já para nós, que não somos poetas, fica tudo mais previsível, feio e aborrecido.

Sem recorrer às figuras de linguagem, o amor é mesmo só um sentimento.

Um tipo de sentimento. Entre outros, portanto.

Assim, se todo amor é sentimento, nem todo sentimento é amoroso. Aula 1 de lógica do curso do professor Fermino. Ou de teoria dos conjuntos do mestre Simões.

Questão de gênero e espécie. O amor é espécie do gênero sentimento. Como fruta e banana. Toda banana é fruta, mas nem toda fruta é banana. A banana é espécie do gênero fruta. E a propriedade, do gênero direitos reais.

Se quiser representar, imagine ou desenhe dois círculos concêntricos de raios diferentes.

Vou insistir. Assumo o risco de ser repetitivo.

Todo amor é sentimento. Mas há muitos sentimentos que não são amorosos. Que o digam aqueles que odeiam alguém. Esses têm sentimento, quiçá intenso, por esse alguém, mas não o amam. Pelo contrário.

Bem, acho que ficou claro. No limiar do didaticamente excessivo. Bora seguir viagem.

Se o amor é um sentimento, então, não há como fugir da pergunta:

O que é um sentimento?

Não vá se zangar com a resposta. Mas é o que temos na mão para começar.

Sentimento é tudo que sentimos, num certo particular da existência, num instante qualquer da vida.

Podemos sentir, por exemplo, por conta de um encontro de nosso corpo com outro corpo qualquer. Seja no momento em que percebemos o mundo com nossos sentidos, seja no momento em que nosso corpo reage ao que percebeu.

Assim, sentimos um gosto estranho na boca quando a comida que ingerimos está estragada, bem como sentimos dor de barriga quando nosso corpo se esforça para expulsá-la do jeito que dá.

Entendo a sua frustração.

Sei que não dá para ficar por aqui. Até porque isso de dizer que "sentimento" é "o que sentimos" é o melhor caminho para perder os maravilhosos e escassos patrocinadores da vida. Ou merecer a dura reprovação do fiel ouvinte.

Resta, portanto, ir além do óbvio que grita. Venha comigo.

Alguma coisa acontece em você. Ou com você. E você se dá conta disso. Como quem toma uma portada no ombro, na entrada do metrô.

Veja. Aconteceu de fato alguma coisa. Uma força, um movimento, um encontro, um choque, um acidente. E você se desequilibrou. Quase foi ao solo.

Muito bem. Essa portada deu causa a alguma mudança em seu corpo. Um deslocamento qualquer. Um hematoma. O certo é que algo em você mudou.

Temos, então, duas coisas diferentes. Uma é o encontro. Outra é o que dele resultou em você. A portada e o hematoma. Claro que uma tem a ver com a outra. Que não teria existido sem a outra. Uma é causa da outra. Mas, ainda assim, e por isso mesmo, são realidades diferentes.

E você pergunta: mas cadê o sentimento? Não é dele que estamos falando? Afinal, portadas e hematomas nada têm a ver com o amor que nos interessa aqui!

Você tem toda a razão. Vamos a ele.

Tudo começa com o encontro. Com a relação. Matéria incidindo sobre matéria. A frigideira quente encosta na pele. O ovo frito é ingerido. Um postinho despercebido na calçada é golpeado pela tíbia. As ondas sonoras, em altíssimos decibéis, do bate-estaca musical fazem vibrar não só os tímpanos, mas o corpo inteiro.

Por conta desse encontro, algo acontece conosco. Em nós. Queimadura. Papilas excitadas. Ruptura óssea. Desconforto auditivo. Surdez momentânea. Zunido desagradável.

Muito bem. Até aqui está claro.

Nosso corpo e nossa alma podem se dar conta do que lhes aconteceu. Ou do que está a se passar.

Mas podem não estar nem aí. Nem "tchuns", como se diz. Fiquemos com essa segunda hipótese, por enquanto.

Assim, um jogador de futebol tinhoso, no calor da disputa, não se atenta para o impacto que sofreu na perna pela investida do adversário. Às vezes joga minutos inteiros com uma fratura. Ou alguém que observa um roxo na sua coxa indaga a causa, e você, com sinceridade, revela a sua ignorância a respeito.

Mas também, como dissemos, pode ocorrer o contrário.

Nesse caso, corpos e almas se apercebem de modo muito claro do que se lhes passou.

Pronto. Finalmente.

Chegamos ao sentimento. Já era tempo. Trata-se da consciência que temos do que nos aconteceu. Ou do que está a se passar conosco.

Mais exemplos. E não adianta reclamar. Sou assim. Enquanto não entendo completamente, não paro de vasculhar.

A quina da cama encontra o dedo do pé. Algo acontece com esse último por conta do desastrado encontro. A consciência que temos desse acontecimento em nosso dedo chama-se sentimento. Assim, a dor que sentimos (sentimento) é a consciência que temos do ocorrido no próprio pé.

Nossos sentimentos, por sua vez, implicam, invariavelmente, oscilações naquilo que nos é mais essencial. Isto é, incidem sobre nossa energia vital, nossa vontade de viver, nosso tesão pela vida, nossa libido, nossa potência de existir, de pensar e de agir.

E isso, para o bem e para o mal. Para cima ou para baixo. Com aumento ou diminuição. Ganho ou perda. Alegria ou tristeza.

— Mas e o amor? — você pergunta, inquieto em retomar o tema do começo do episódio.

Ora, se o amor é um sentimento, é porque algo aconteceu ou está a acontecer em nós. Algo de que temos alguma consciência. Trata-se da própria consciência que temos daquele tipo particular de transformação que estamos a sofrer.

Mas que transformação será essa?

Pois é.

Se a dor permite ao dolorido que a sente ter consciência da fratura da tíbia, da pancada na quina, da portada, do parto, da pedra no rim flagrado em si mesmo, o amor, por sua vez, permite ao amante ter consciência de que tipo de acontecimento, de ocorrência ou transformação em si mesmo?

A resposta exige digressões. Vamos a elas porque não temos o dia inteiro de *podcast*.

Para começar, uma distinção bem conhecida.

Alguns sentimentos são mais imediatamente dependentes das impressões deixadas no corpo. Como a dor nos olhos depois que passa a anestesia de uma cirurgia complicada. Pois bem. Muitos denominam esse tipo de consciência, por parte de quem sente, daquilo que lhe ocorreu, de *sensação*, em vez de *sentimento*.

Já outros sentimentos são mais vinculados às atividades do espírito. Ao que acontece conosco, por exemplo, a partir dos discursos que ouvimos, das palavras que nos chegam, das páginas que lemos, dos versos que degustamos, das telas que contemplamos etc.

Essa distinção entre sensação e sentimento faz mais sentido para pensadores dualistas, isto é, aqueles que discriminam corpo e alma como duas realidades distintas.

Pois bem. Não é esse o meu caso.

Por isso, aquilo que num primeiro momento parece coisa de corpo já é de alma ao mesmo tempo, e vice-versa.

Veja.

Quando contemplamos um quadro num museu, pergunto eu, como separar o que sentimos a partir do que estritamente estamos vendo com os olhos, enquanto imagem, do que sentimos a partir das viagens semânticas que a partir dela operamos?

A mesma dificuldade encontramos, com certeza, no sentimento de amor. Uma relação entre duas pessoas é visual, auditiva, tátil, gustativa, mas é também interpretativa de todas essas sensações, é intelectiva, dialogada, conjecturada, na presença e na ausência do amado.

Como pode ver, não saímos do lugar. Sendo corpo e alma um único ente, a diferença entre sensação e sentimento é de perspectiva, e não essencial.

Resta tentar por outro caminho.

Sentimento é a denominação popular do que Espinosa chama de afeto.

Em que consiste um afeto?

Interpretação oferecida por corpo e alma de tudo que lhes acontece. Se o ouvinte preferir, entenda o afeto como uma tradução da transformação imposta ao afetado numa linguagem que lhe permita se dar conta do que lhe aconteceu.

Há também quem use, para explicar a noção de afeto, a metáfora de um eco que reverbera os acontecimentos que sucedem ao afetado, fazendo-o sentir, na pele e na alma, tudo aquilo que suportam ou fazem.

Da minha parte, prefiro o caminho da tradução.

A dor, por exemplo, é um afeto. Como todo afeto, a dor anuncia um ocorrido, de modo a permitir a consciência deste. Trata-se de uma tradução, operada pelo corpo (e pela alma que também é corpo), de uma ocorrência, uma transformação em si mesmo.

Mas não qualquer transformação. A dor anuncia uma ocorrência que precisa ser estancada, interrompida, corrigida. É por isso que, na gramática dos afetos, a dor dói. É desagradável de sentir. Para que o afetado por ela se ligue de que é preciso fazer alguma coisa rápido. Sob pena de algum tipo de destruição.

O prazer também é um afeto. Permite ao afetado ter consciência de que o que está se passando com ele é bom. Pelo menos naquele preciso momento. Esse é o entendimento daqueles que associam o prazer a um bem.

Nada impede, sabemos disso, que algumas transformações prazerosas de serem sentidas num instante preciso acabem determinando afetos dolorosos na sequência.

A alegria também é um afeto. Traduz uma ocorrência muito especial, de modo a permitir ao afetado sua consciência. De modo que o afetado ganha potência de existir, de agir, de pensar. Aumenta o seu tesão de viver.

Assim, alguém é afetado de alegria quando tem consciência dessa preciosa passagem para um estado mais potente de seu ser. Aquela coisa de se dar plenamente conta de que está bem.

Há quem chegue a enunciar a própria alegria, tamanha a consciência da exuberância da própria potência de viver.

Lembro-me de *Clarissa*, leitura obrigatória de ginasiano, na pensão da tia Eufrasina, assegurando ao leitor que se encontrava tão alegre, mas tão alegre, que tinha vontade de abraçar um por um aqueles estranhos hóspedes, sem falar no gato Micefufe e no papagaio Mandarim, que não parava de gritar seu nome.

Haverá quem diga que a alegria é o prazer da alma. Concedo. Desde que admita que alma seja corpo também. E vice-versa.

O mesmo para a tristeza. Que é sofrimento. Sentimento ruim de sentir. Afeto desgraçado. Quando nos damos conta de outra passagem, agora para um estado menos potente de existir, de fazer e de agir.

Amaro, hóspede da mesma pensão, afirma sentir como nunca o peso da sua imobilidade. A consciência da impotência em gotas de estrato puríssimo.

Muito bem. Dor, prazer, alegria, tristeza. Mas, professor, e o nosso amor, onde fica?

Se estivessem genuinamente expressando seus sentimentos, o afeto do Horácio e da Miriam estaria indicando que tipo de ocorrência em seus corpos?

O amor é um afeto. Assim como a dor. O primeiro é mais sentimento. A segunda é mais sensação. Mas os dois são obviamente afetos. Consciência do que se passa em quem o sente.

As sensações parecem mais claras. Os sentimentos, mais obscuros. O que percebemos pelo corpo parece inequívoco. O que percebemos pela alma se presta a mais dúvidas.

Quando vamos ao dentista, sentimos dor. Não há dúvida a respeito do que estamos sentindo. Uma sensação que tem como causa uma broca. Todos estarão de acordo.

Já quando pensamos em alguém 24 horas por dia, aí a coisa é menos imediata. Mais controversa.

Haverá quem diga que se trata de uma paixão. E que paixão não é amor. Pelo contrário. Porque o amor é generoso e não egoísta, como sempre é o sentimento apaixonado. Um amor ágape. No qual importa o amado. E toda iniciativa termina nele. Por não estar condicionada a nenhuma contrapartida.

Haverá quem diga o contrário. Que amor é desejo. Desejo de posse. Energia mobilizada em busca do que faz falta. E que esse sentimento erótico de desejo pelo que falta se confunde com a própria paixão. E que, portanto, ou o amor é apaixonado ou não é.

Haverá também quem diga que só haverá amor se houver alegria na presença, no encontro, no toque. É o amor *philia*. O amor que faz bem. O amor agradável. Pelo que é amável.

O amor pelo que não faz falta. Mas pelo que integra o mundo de quem ama. O amor pelo que é seu. O amor dos casais. Pelo marido que já é o seu. Pela esposa que já é a sua.

Quanta confusão! Pois é!

Se o amor é — e parece que todos concordamos com isso — tão importante para a vida de cada um, a ponto de torná-la colorida, alvissareira, viçosa, com alguma graça, e de discriminá-la de alguma outra, sem amor, cinzenta, arrastada, empurrada com a barriga, como podemos nos permitir não saber, com precisão, do que se trata?

Só resta desfazer a confusão. E passar a limpo tudo isso que se costuma afirmar sobre o afeto amoroso.

Dizíamos que o amor é entendido por muitos como desejo. Ninguém menos do que Sócrates, no *Banquete* de Platão, assim o define. Ora, se o amor for mesmo desejo, isso significa que você ama aquilo que deseja.

A proposta parece interessante. Afinal, desejamos o que nos parece agradável, prazeroso. E, por isso, havendo desejo, haverá também atração. Nesse caso, costumamos atribuir, a essa coisa ou a essa pessoa que nos atrai, algum valor positivo. Esse valor justifica o esforço pela aproximação do que desejamos. A busca da sua posse.

Ora, da mesma forma, quando há amor, costuma também haver a pretensão de aproximação, iniciativa de manter o amado por perto de quem o ama, lamento pela ausência, vontade de ficar junto, de encontrar sempre etc.

Você poderia então perguntar: se o amor é mesmo desejo, como sugere Sócrates, o desejo será o que, então?

Se formos defini-lo pelo objeto desejado, a falta. Se pelo que se passa ao desejante, potência. Energia vital. Energia mobilizada para ir atrás do que nos faz falta.

Desejamos o que não temos e gostaríamos de ter, não somos e gostaríamos de ser, não fazemos e gostaríamos de fazer etc.

Você, na verdade, deseja tudo isso de dentro do seu quarto, diante do seu agente de viagens, na entrevista com o RH, na vitrine da loja etc.

Com o amor pode acontecer assim também.

Afinal de contas, podemos de fato amar aquilo que se encontra, naquele instante, fora do nosso alcance. Nesse caso, você ama o que deseja e deseja o que está longe, o que escapa, o que faz falta.

Haverá, então, uma pergunta a responder:

E no caso da viagem desejada e bem-sucedida? Você foi parar na cidade do Porto, desembarcou no aeroporto Francisco de Sá Carneiro, dirigiu-se a Matosinhos e comeu todos os robalos na brasa que desejava.

Ou foi a Miami e comprou todos os artefatos eletrônicos mais recentes; foi a Durban, na África do Sul, e encontrou cara a cara todas as girafas e rinocerontes que sempre imaginara encontrar.

Bem, nesse caso, você deve ter percebido, o verbo "desejar" foi para o passado. Porque no encontro, na presença, você já não deseja mais. E se amor for mesmo desejo, isso significa que já não ama o que antes amava.

Eu desejei durante muito tempo ser professor da USP. Nunca escondi de ninguém esse sonho.

Pois bem. Esse meu desejo tinha por objeto um mundo imaginado. Eu imaginava à vontade — a mim mesmo — dando aulas para meus alunos.

Mas esse desejo durou todo o tempo da minha vida acadêmica em que não era professor da USP. Amava a universidade desejando-a, contemplando--a, do lado de fora dos seus muros, passando pela via marginal. Amava a universidade do lado de fora de suas salas de aula, das suas bibliotecas e das suas reuniões.

Até que um dia, de tanto forçar a mão, de tanto me apresentar, de tanto tentar convencer o mundo da minha competência, acabei sendo lembrado para atividades, digamos, sem vínculo trabalhista mais sólido.

Era a fresta de uma porta que se abria. Mas ainda faltava o concurso. A integração definitiva. Ainda havia, portanto, o que desejar ali dentro. E, portanto, ainda havia amor pela instituição.

No momento em que dar aula na USP tornou-se uma realidade, tornou-se também impossível desejá-la. E se amor é mesmo só desejo, terá se tornado também impossível amá-la.

Mas aí eu pergunto: será mesmo? Será que eu só consigo amar Portugal estando no Brasil? Será que eu só consigo amar as compras em Miami longe dos seus centros comerciais? Será que eu só consigo amar rinocerontes e girafas imaginando-os bem distantes dos seus locais de hábitat?

Ou será que é possível um amor na presença? Ou será possível amar no abraço, no encontro, no atrito?

Sim. Amor pelo que já é nosso. Pelo mundo onde já nos toca viver. Pelas pessoas que já convivem conosco. Pelas instituições das quais já fazemos parte.

Não mais a mulher ou o homem dos sonhos, mas a mulher ou o homem do leito. Não mais o príncipe ou a princesa dos devaneios e das fantasias, mas o companheiro ou a companheira do dia a dia pegado, da rotina, do cotidiano, da vida em comum.

Amei muito a universidade quando ainda nela não trabalhava, é verdade. Como também amei muito pessoas com quem nunca pude ter nenhuma relação.

Mas tenho convicção de que, em muitos casos, como foi o da universidade, um sentimento tão nobre quanto permaneceu não mais como desejo, mas como plenitude, como satisfação, como alegria de viver aquela vida, de estar naquele lugar, de interagir com aquelas pessoas, num mundo encontrado e percebido, para além de qualquer imaginação.

E, nesse caso, o amor será uma presença. Uma presença que não é qualquer. Uma presença boa, que se justifica. Uma presença alegradora. Um amor mais sutil, para o qual, talvez, estejamos bem menos preparados.

E por quê?

Somos muito bem adestrados para desejar o que não temos. Ir atrás do que falta. Bater metas enquanto ainda são metas. Alcançar resultados que só existem nas planilhas. Somos motivados a amar o que não é nosso. Somos aplaudidos pela ambição, pela busca, pela iniciativa e pela proatividade.

Mas já não são tantos assim a nos aplaudir pela plenitude. Pela satisfação. Pelo contentamento. Pelo regozijo. Por desfrutarmos de estar onde estamos. De fazer o que fazemos. De viver onde vivemos. De amar o que temos.

Já não somos tão aplaudidos quando, reconciliados com o mundo, conseguimos reconhecer nele o seu lado amável. Quando somos felizes por ter o que temos. Quando somos felizes e ponto. Quando o amor é feliz, porque a ele nada falta.

O mundo que nos cerca, de tanto enfatizar a falta e o desejo, acaba por nos sonegar a alegria da vida vivida. A alegria de amar. Amar um amor que, "por ser amor, invade e fim".

EPISÓDIO 4

Sou meu sono, não meu dono

Começo este episódio pelo que me veio à mente, de inopino, justo no instante de gravá-lo. Acabei trocando todo o seu conteúdo em poucos segundos.

Não que tudo, aqui no *Inédita Pamonha*, seja puro improviso. Acontece que, uma vez definido o tema, nem sempre as ideias se aquietam. Muitas vezes continuam, como os miúdos na escola, a puxar pelo avental da tia.

Ideias que seguem brotando irreverentes na mente acolhedora. Causando tumulto no espírito assoberbado. E resfriando a barriga de quem achava que tinha tudo na mão e, de pronto, se deu conta de que já não sabia mais o que dizer.

De fato. Os dedos estavam a ponto de premir a bolinha vermelha do gravador quando me invadiram em memória, sem pedir licença, cenas de aulas de Literatura do ensino médio. Fernando Teixeira, o famoso F. T., era o professor. Imenso mestre. Meu conterrâneo de Ribeirão. Que, por sua vez, amava seu xará Fernando Pessoa.

Nada de muito surpreendente, convenhamos. Afinal, um grande estudioso e docente de Literatura amar Fernando Pessoa é tão previsível quanto um de Filosofia amar Platão ou Aristóteles.

De tanto colorir suas aulas com a produção do genial escritor português, algumas frases ganharam lugar cativo em meu espírito. Instalaram-se para sempre. Como se fossem *hits* de verão na mente de um adolescente em férias de primeiro amor.

Serei fiel à lembrança consolidada. O que exponho não é a genialidade do poeta, mas o que dela restou para mim. Frases de poemas distintos. Se a citação não for rigorosa, peço desculpas de antemão.

Mestre

O meu coração não aprendeu a tua serenidade.

O meu coração não aprendeu nada.

Meu coração não é nada. Meu coração está perdido.

Nessa vida em que sou meu sono, não sou meu dono.

Conheceram-me logo por quem não era. E eu não desmenti e perdi-me.

Quando quis tirar a máscara, ela estava apegada à cara.

Só me encontro quando de mim fujo.

Fiz de mim o que não soube. E o que podia fazer de mim, não o fiz.

Dormi no vestiário como um cão. Tolerado por ser inofensivo.

Eis que, enquanto os dizeres de Pessoa — em denúncia de um eu inalcançável — ainda ecoavam, outros ditos acudiram em seu apoio, adentrando, sem muita cerimônia, o salão de baile da mente atrapalhada.

É Pascal quem pensa agora.

Genial filósofo, matemático e inventor do século XVII. O professor Teófilo Vasconcelos, outro que nunca morrerá em minha memória, desde o ensino médio, já o apresentava deliciosamente. Sua voz chega aos meus ouvidos, assim como seu sorriso maroto, de quem cogita muito além do que diz.

Mantemos as regras do jogo. Importa-nos, aqui também, o modo como minha mente dialogou com o mestre, reconstruiu e guardou seu ensinamento. Deixemo-lo falar, pois!

Você — e todo mundo — está sempre às voltas com esse tal de "eu". De fato. Quantas frases têm início com o pronome da primeira pessoa do singular!

Mas em que consistirá, no seu caso, o "eu" de cada um?

Para que ele corresponda a uma definição confiável, para que se mantenha ao longo dos anos, deve ser essência. Essencial. E, como tal, não se alterar.

Pois bem. Isso não acontece com nossas propriedades. Gordos emagrecem. Magros engordam. Belos sofrem acidentes. Feios se recauchutam. Narigudos são esculpidos. Minguados, enxertados.

Por isso, quem ama "alguém" pela sua beleza ama, na verdade, uma qualidade que desaparece, a despeito da cosmética e de sua surpreendente eficácia. Amar pela sua beleza é aceitar para si um objeto de amor fugaz.

Da mesma forma, quem ama as faculdades intelectivas de uma pessoa, sua capacidade de pensar, sua lucidez ou sua memória, também sente amor por objeto resvaladiço. Ama o que pode desaparecer a qualquer momento. Basta uma pancada bem dada na cabeça.

Nem os fascinados pela beleza do corpo, tampouco os atraídos pelas riquezas do intelecto, nenhum deles ama o titular dessa qualidade. O tal "alguém" que, para continuar sendo aquele mesmo amado e, portanto, objeto daquele mesmo amor, não poderia mudar.

Pascal continuou procurando, investigando. O que será que permanece por detrás das propriedades mutáveis?

E aí ele, que viveu no século XVII, sugere, como o já citado Fernando Pessoa, que as máscaras possam ser tudo. E esgotar o todo do "eu". A ponto de não haver rosto algum. Só máscaras. Máscaras sem rosto. Máscaras que substituímos. Que deixamos de usar. Que usamos de segunda a sexta. Que usamos só dentro de casa. Mas máscaras.

Aliás, "máscaras sem rosto" é expressão também usada por Proust, na sua busca do tempo perdido.

Não haveria, nesse caso, um "eu" para amar. Apenas qualidades. As suas qualidades. Circunstanciais. Episódicas. Frágeis. Que, ao deixarem de existir, levam consigo o amor que por elas havia.

A mente continua pululando.

Uma entrevista antiga, ainda em preto e branco, de Carl Jung.

O "eu" é quem escolhemos ser. Nunca o que fizeram de nós.

A sugestão é interessante. Na contramão rigorosa das anteriores.

De fato, quando falamos do "eu", tendemos a olhar para o seu passado. Jung propõe que cada um é o que está a escolher para si a partir desse instante.

Estamos sempre, diz ele, a um fiapo de tempo, de uma nova escolha, uma nova decisão a nosso respeito, que tudo poderá mudar.

Se argumentarem que não escolhemos o que nos acontece, de fato têm razão. Mas, sim, escolhemos o que fazer, a partir do que nos acontece. O mundo é o mundo. Mas a interpretação do mundo é nossa prerrogativa. Ao menos para Jung.

Se, por um lado, em Pessoa e Proust, o "eu" é tolerado porque inofensivo, já moldado ao tolerável, e de máscara plasmada na cara que lhe dá suporte, e em Pascal não passa de um conjunto circunstancial de qualidades, por outro lado, em Jung, o "eu" é quem pode decidir e decide o que é.

Como se não bastasse, eis que chega atrasado ao baile, tal Sócrates no *Banquete*, o professor Sponville. Fragmentos de suas memoráveis aulas na Sorbonne acudiram à mente.

O tema era a vida boa no pensamento de Montaigne. E a afirmação remanescente, a mais intacta nos porões do espírito, assegurava que o escopo ou o propósito ou o fim da vida é mesmo só o de vivê-la. E ponto.

E que, portanto, para amar a vida, que é a própria, talvez seja preciso aprender a parar de desejar as outras, que não o são.

Antes que esse baile alucinado me leve ao desvario completo, acho que vou retomar o que tinha para dizer desde o começo. Com a certeza de que tudo que foi dito até aqui confere tempero, sabor e aroma ao que já figurava no cardápio desta inédita quinta-feira.

Portanto, agora sim... Está no ar o *Inédita Pamonha*. Agora sim. Por instantes inéditos, virginais, irrepetíveis e, por isso mesmo, pra lá de imprevisíveis.

Haverá quem diga que o "eu" se define pelo que pensa. Outros pelo controle que tem sobre si. Outros garantem o contrário: que, se algum "eu" aparece na vida, é justamente nos momentos de total descontrole ou desvario. Para uns, o "eu" se define pelo que ama; para outros, pelo que deseja; e para outros ainda, pelo que consome.

Fiquemos hoje com o desejo.

O desejo é sempre de alguma coisa. Não se esgota sem um objeto. Algo distinto da instância desejante. Desejo sem objeto é rebaixado a mero apetite.

E mesmo que o desejo seja de emagrecer, ainda assim há alteridade diante do obeso que deseja. E se for de continuar magro, será para o amanhã, tempo de magreza que ainda não é o nosso. Assim, o desejo é sempre de algo outro em face de quem deseja.

Esse objeto não é no mundo como o é no desejo. Não está no mundo onde está no desejo. Não existe, em suma, no mundo tal como existe no desejo. Não mantém com quem deseja a relação que este desejaria. Pelo menos, ainda não.

Porque esse objeto,
como objeto de desejo,
por enquanto, existe apenas na
imaginação de quem o deseja.

Claro que quem deseja pode desejar um carro que já existe. Mas não como propriedade de quem deseja. Não na sua garagem. O carro desejado só se encontra na garagem de quem o deseja enquanto imaginação.

O salário desejado também já existe. Mas, enquanto objeto de desejo, ainda é recebido pelo chefe. Agora, os benefícios que pode trazer a quem o deseja, esses já foram sonhados, e não poucas vezes. Um salário desejado. Um salário imaginado. Ao menos por ora, enquanto desejo houver.

Subamos um degrau.

Se podemos imaginar aquilo que desejamos, é porque foram vencidas condições para isso.

O mundo nos apresenta aquilo que podemos desejar. O mundo nos ensina a desejar. E no meio desse mundo há árvores exibindo suas frutas e sugerindo um suco, lagos convidando para um mergulho, o pôr do sol despertando a melancolia do olhar comprido etc.

Mas nesse mundo, além de lagos, paisagens e árvores frutíferas, há também pessoas, como você e eu.

As relações que mantemos com as outras pessoas são uma fonte infinita de objetos de desejo possíveis.

Desejamos o carro do vizinho, o salário do chefe, o marido da tia; desejamos também os sapatos de quem acabou de passar, a viagem daquele que fez da experiência uma longa narrativa para você e até mesmo o prato de quem só escolheu diferente no cardápio.

Assim, as pessoas, por meio das suas condutas e conquistas, acabam nos contando sobre o que podemos nós também desejar, talvez até sobre o que devamos desejar. E por quê?

Porque o desejo, além da imaginação sobre o mundo que gostaríamos de ter, cobra de nós energia para ir atrás. O desejo também é mobilização de forças e potências. O desejo também é tesão, Eros, é inclinação.

E essa energia que cada um de nós tem para viver não é infinita. Então, quando alguém nos acena com alguma coisa que se torna desejo para nós, está direcionando nossa energia para um canto e, ao mesmo tempo, inviabilizando esse mesmo direcionamento para o canto oposto.

E assim, quando desejamos *X* com toda a intensidade, tornamo-nos impedidos de desejar *Y* com essa mesma intensidade. Por isso a vida no mundo e a vida com as pessoas orienta, direciona e dirige nossa energia vital para certos mundos em detrimento de outros mundos.

Ora, se isso acontece com uma pessoa, que dirá com uma sociedade e suas poderosíssimas instituições. Vamos então vivendo e o mundo nos bombardeando de desejos autorizados.

A publicidade nos conta o que podemos desejar e comprar algum dia, tanto quanto as instituições onde trabalhamos nos mostram o que podemos desejar como carreira, como devir profissional, como o nosso amanhã de trabalho.

Mas o que mais me chamou a atenção desde sempre, talvez porque tenha sido sempre a minha vida, foi a escola.

Lá no primário — porque quando eu estudei tinha primário —, a tia que se chamava Maria falava do segundo ano primário, mas nós estávamos no primeiro ano.

Perceba, você que me ouve, a tia podia dizer:

— Estamos no primeiro ano primário; a vida é feliz, a vida é linda, essa é a única vida que temos para nós, vamos desfrutá-la. Vamos gozar. Vamos viver, vamos viver intensamente este que é o primeiro ano primário, a vida que é a nossa, comigo de tia nesta sala, com estes livros e estes assuntos para aprender.

Mas ela nunca fez isso. O que ela fez foi falar do segundo ano primário. Quando então a vida seria promissora, alvissareira, colorida. Com outra sala, outros livros, outros colegas.

E pasmem, vocês que estão me ouvindo, a tia Maria também afirmava com convicção e sem enrubescimento:

— No ano que vem, para o qual devem ser aprovados, a tia também será outra.

A necessidade de rebaixar a vida que estávamos vivendo a levava a rebaixar-se a si mesma sem pestanejar.

Você então chega ao segundo ano primário e, a caminho da escola no dia de volta às aulas, cogita consigo mesmo:

— Agora a alegria chegou. Arrastando com ela a felicidade, o gozo e o prazer. O combinado era um ano só de sacrifício. E esse ano já se foi. Agora é "nóis". É só alegria.

Você entra em aula e encontra a nova tia. A professora do segundo ano. Na sua cabeça o seu discurso não poderia ser outro.

— Você, que suportou todo o primeiro ano com a tia Maria e foi aprovado, verá agora como valeu a pena. Verá como a vida será boa. Como vamos desfrutar juntos. Como será inesquecível. Como nunca mais vão querer sair do segundo ano. Nunca mais.

Mas não foi o que ela disse. Longe disso.

Tão logo tomou a palavra, a nova tia nos traiu. Rompeu o combinado. Desmentiu a tia Maria sem nenhum pudor. E em tom de ameaça foi peremptória:

— Quem fracassar nas provas terá que ficar aqui comigo, refazer tudo, assistir às mesmas aulas, ler os mesmos textos, e tudo isso na companhia dos pirralhos que agora ainda estão no primeiro ano.

Como você pode perceber, a segunda tia superou a Maria, sua colega, na hora de rebaixar a vida vivida. Enfatizou com crueza as misérias do que estávamos por viver.

E o mesmo se repetiu no terceiro, quarto e quinto anos. Ao longo de todo o fundamental. Mas, curiosamente, sempre sobrava uma nesga de esperança a cada volta às aulas.

Quem sabe, naquele ano, por alguma fissura do sistema, não haveria um docente capaz de fazer da vida vivida um deleite, um regozijo, associando aprendizado e prazer, fazendo-nos apreciar o estudo, desfrutar do aprendido e querer ainda mais... Quem sabe?

Pois bem. Se fissuras havia, delas não nos demos conta. O certo é que a ladainha do passar de ano seguia impávida, ano após ano. Decretando a pobreza de um presente fracassado e enaltecendo um futuro, cujo valor exigia que jamais se convertesse em presente.

O ensino médio, esse foi, desde o primeiro dia, condenado à mera preparação para o vestibular, trampolim para o devir, portanto sem valor em si mesmo. Seria preciso esperar o fim dos três anos para, só depois, com os resultados na mão, atribuir-lhes algum valor.

Bem, no seu caso deu tudo certo. Olha você na semana de calouros tomando trote e sendo um pouco feliz. Também, pudera! Depois de doze ou treze anos se esforçando para ver o ano passar, já era hora de regozijar e não querer sair dali.

Mas o problema de toda semana de calouros é justamente a sua duração. Uma única semana. E logo vieram as aulas. Com seus professores tristes. E a velha cantilena, que você já conhecia tão bem, reassume a ribalta com mais força do que nunca.

Os docentes faziam coro. A vida a ser vivida naquele lugar, ao longo dos quatro ou cinco anos, se reduziria a uma preparação para um tal de mercado. Um mercado de trabalho. Cada vez mais exigente, mais seletivo. Cobrando competências nunca antes necessárias.

Alguns veteranos advertem que na faculdade não se aprende nada. E que é preciso fazer um estágio. Caso contrário, não haverá capacitação profissional. E aquela formação não servirá para nada. Que só empregos passarão longe. Que não saberemos dar nem os primeiros passos.

Passa, então, pela sua cabeça que talvez seja nesse estágio que resida a alegria.

Em poucos minutos você se dá conta do óbvio. Havia uma combinação, um complô entre os responsáveis da empresa, os professores da universidade e os veteranos. No que diz respeito a estes, tratava-se da extensão do trote. O estágio não passava da versão aprimorada de um moedor de carne. E você não era aquele que moía.

O estágio só teria algum valor em função do que viesse a acontecer mais tarde. Emprego, carteira assinada, alguns procedimentos aprendidos e nada mais.

No fim, para você, acabou dando tudo certo. Agora você tem diploma e carteira assinada. Eis o momento em que você poderia refletir:

— A alegria chegou. Agora não tem erro. Afinal, já são dezessete anos esperando.

E você chega animado. Deixando claro que não aceitaria mais ser enrolado. Que estava em busca da felicidade. No trabalho e fora dele. E que nada te demoveria.

Ante essas considerações, o chefe explica em tom professoral:

— A empresa tem quinze níveis; você está no G15; e é de cima para baixo que funciona; você está no último nível. O inferior. E nele não pode haver felicidade. A felicidade começa depois, quem sabe? A partir do G14. Mas, para isso, você precisa bater metas. São como cenouras que correm rápido.

Em busca de alguma felicidade, aqui objetivada num plano de carreira, você se torna um exímio perseguidor de cenouras. Quanto mais cenouras trouxer, mais rapidamente a felicidade chegará. Eis a única certeza.

Você, então, entope a sala do chefe de cenouras.

Mas a felicidade parece não chegar nunca. Continua prometida sempre à frente. No degrau seguinte. No próximo nível. Nunca onde você se encontra.

No final você vira CFO. Ser CFO é incrível. CFO é demais, você não cabe em si. CFO é maravilhoso. FO de foda. De fodástico. De foderoso. É o que você sempre desejou. Enquanto ainda não era CFO, claro.

Mas, agora que se tornou um, não há mais por que desejar. Tampouco o que desejar. Agora você é. E essa presença tornou-se, agora, indesejável.

A sorte é que ainda há um CEO das galáxias. Para deixar claro que ainda falta muito. Ainda há o que desejar. Ainda resta vida que falta. Ainda cabe propósito.

Quando faltarem novos desafios, ainda restará a demissão. E toda a qualidade de vida que ela pode proporcionar. Uma chácara com lago e tudo. Pescarias fascinantes. Na companhia de outros preteridos, agora consultores.

E havendo vida, ainda faltará o seu fim. Eis que, agora, nas últimas, com a família chorando em volta do leito, ainda pode chegar alguém, chamado às pressas, com voz aveludada e sotaque mastigado de estrangeiro acomodado.

— Nada de tristeza, nada de tristeza. Porque o melhor ainda está por vir.

E você talvez tenha passado a vida toda sem se dar conta de que, tendo certa quantidade de energia para viver, foi submetido a uma espécie de adestramento, tal como um touro numa arena, atraído pelo lenço vermelho do toureiro.

Você sempre correu atrás do lenço vermelho, sem jamais ter conseguido agarrá-lo. Porque, na iminência de fazê-lo, o toureiro tirou o lenço da frente e apontou para você o terceiro ano primário, apontou um novo MBA, uma nova posição de carreira, que só quando alcançada, aí, sim, você seria feliz.

Você então passou oitenta anos esperando pela felicidade no dia de amanhã. Sem nunca ter cogitado a possibilidade da felicidade no dia mesmo em que cogita, naquele em que a vida está. Este dia em que eu falo, e você me ouve.

E assim você pensa:

— Por que será que o Clóvis está fazendo o *podcast Inédita Pamonha*? O que será que ele quer com isso? O que será que o *podcast* trará para ele?

E eu te respondo na lata: o *podcast* trará o *podcast*. Esgota nele mesmo a sua razão de ser. Tanto quanto um eventual encontro com você, ouvinte, me trará um encontro com você. E a vida me trará vida.

Desse modo, ou é para ser feliz aqui falando diante desse microfone ou a vida terá sido de novo ludibriada, iludida e irremediavelmente fracassada.

Convido agora, você que me ouve, a refletir sobre isso. A bradar com o punho erguido: a vida está só onde eu estou. Com corpo, mente, consciência, afetos, sensações e tudo o mais que nos constitui. E se tiver que valer a pena, pois que valha onde tudo está, aqui mesmo. Eu falando e você ouvindo.

EPISÓDIO 5

O valor do caminho

“É melhor ser alegre que ser triste. A alegria é a melhor coisa que existe.” Assim cantava o poeta genial.

Eu acrescentaria que é melhor sentir prazer do que sentir dor. Seja lá do jeito que for.

Como você pode ver, eu, como poeta, sou um excelente comedor de frango com quiabo.

Está no ar o *Inédita Pamonha*.

O tema deste episódio é o prazer. Mais especificamente, as dificuldades da sua definição.

Se o *podcast* é sobre a vida, é forçoso admitir aqui que ninguém projeta prazeres. Tampouco dores. O que podemos projetar, isto é, imaginar para tempos que estão por vir, são situações que supomos serem prazerosas ou pouco doloridas.

O prazer é uma sensação das mais fundamentais da vida. Mas, como tal, de difícil tradução em palavras. De definição bem complicada, ousaria dizer.

Mas não custa arriscar. Afinal, temos o *podcast* inteiro sobre esse tema, e algo precisa ser dito.

Prazer é um afeto que se opõe à dor. Nesse caso, você certamente percebeu, estamos apelando. Tentando definir pela negação do seu contrário. Equivale a afirmar que claro é o que não é escuro e grande, o que não é pequeno. Essa saída triste, essa definição que pouco define, os pomposos chamam de tautologia.

Vamos tentar por outro caminho. E se o prazer não fosse a satisfação de um desejo? Parece interessante. E se acrescentássemos a essa definição um elemento de maior proximidade com o entendimento de todo mundo? Ficaria assim: o prazer é a satisfação agradável de um desejo.

Dois problemas. Talvez três. O primeiro é que corremos o risco de ter trocado seis por meia dúzia. Tiramos o prazer e pusemos o agradável. E na hora de definir esse agradável, vamos nos deparar com as mesmas dificuldades.

O segundo problema dessa definição é que nem todo prazer é precedido de um desejo, embora muitos o sejam. Você pode ter sonhado por seis meses com um encontro. E olha aí, ele acontecendo agora mesmo. Esse prazer, que supomos que esteja sentindo, foi, nesse caso, urdido longamente em desejo.

Nada impede, no entanto, que você, passeando pela rua, encontre, ao acaso, um velho amigo ou uma antiga namorada. E sinta muito prazer com isso.

Mas, nesses casos, não havia desejo que o antecedesse. Não poderia havê-lo. Esses encontros não foram antecedidos por nenhum tipo de elucubração. Aconteceram e pronto. Logo, trata-se de um prazer que não satisfaz desejo algum, o que compromete a definição proposta há pouco.

E, como se já não bastassem os dois problemas anteriores, podemos ainda indicar um terceiro ao definir o prazer pela satisfação de um desejo.

Nem todo desejo satisfeito se traduz em prazer. Você queria muito estudar naquela faculdade. Anos de desejo. Eis que você finalmente passou no vestibular e, a partir do trote, a sequência de ocorrências desagradáveis parecia não ter fim.

Da mesma forma, um encontro íntimo muito desejado pode não trazer prazer algum. Pelo contrário. O que você leva para casa, depois de tantos anos de espera, é só frustração, vergonha, tristeza e humilhação.

Desse modo, a possibilidade da satisfação de um desejo sem prazer também compromete tal definição.

E você dirá:

— Fracasso total.

Nem tanto. Em filosofia, o caminho conta muito. Mesmo que não se chegue a lugar algum. Mesmo que as sugestões não sejam, ao menos não ainda, satisfatórias. A própria constatação de que ainda falta já é muito valiosa.

Mas quem sabe você não se sai melhor...

Peço então que me descreva a sensação de um orgasmo.

Escolhi o orgasmo por se tratar, penso eu, de um prazer indiscutível. Fosse algum outro — digamos, mais sutil ou tido por mais elevado, como a leitura de um clássico da literatura —, sempre apareceria um chato, de vida rastejante, para dizer que não concorda, que não sente prazer algum na leitura e fica entediado quando é obrigado a ler um texto desse porte.

Bem, voltemos à descrição do orgasmo.

Você começa apresentando os dois envolvidos. Além de si mesmo, o outro, ou a outra.

Claro que esse prazer de orgasmo poderia ter sido coisa de um só. Ou de três ou quatro. Mas aquela sua história era mesmo uma relação a dois.

Na sequência, você define o estatuto da relação. Amigos íntimos, namorados, amantes ou, mais surpreendentemente, cônjuges.

Esse "surpreendentemente" foi em tom irônico. Mas sabemos bem que, em muitos casos, não é fácil manter o apetite tinindo numa relação conjugal mais longa.

Bem, deixemos o matrimônio para lá e voltemos ao seu orgasmo.

Em seguida, você passa a descrever os movimentos. Detalha as carícias. Os gemidos, os sussurros e até os gritos.

Beleza. Até aqui você está se saindo muito bem. Atraiu o leitor, mostrou estilo, explicou a natureza do assunto. Para uma introdução do texto, está melhor do que a encomenda.

Mas é chegada a hora de fazer o que o professor pediu.

O tema é a sensação do orgasmo.

Por enquanto você está só tentando se aproximar dele. Arrodeando, como dizem na minha terra. Mas estamos todos esperando pela atração principal. A abordagem definitiva. A estocada final no assunto proposto.

Você fica sem ação. Ou melhor, sem palavras. Parece perplexo. Pode até chegar a descrever a operação. As posições implementadas. Quais pareceram fazer mais sucesso junto ao outro. O que foi dito durante o momento. Quais partes do corpo foram estimuladas e como. O que se observou como resultado.

Mas o tema pedido pelo professor continua intocado.

Ele quer saber da sensação do orgasmo.

Nada por enquanto. Você até comentou dos gemidos, de quem pareceu ter atingido o clímax primeiro, que a finalização foi cerceada pelo preservativo sabor bolo floresta negra, que houve carinho após a conclusão da atividade e outros pormenores de que eu não lembro mais. Mas a sensação do orgasmo solicitada, sobre essa nem uma linha.

Pois é. Eu te entendo. Não é nada fácil essa tarefa.

Em primeiro lugar, as sensações não se deixam descrever assim tão facilmente. Experimente descrever uma dor de dente. Refiro-me a ela mesma. Vamos, ânimo. Conte o que sente!

Talvez você tenha que ficar com a óbvia constatação de que a dor é dolorida. Que uma dor de dente acontece quando o dente dói.

Quem estiver ouvindo ou lendo suas considerações só terá uma ideia do que afirma ter sentido pela comparação com suas próprias sensações em situação análoga.

Em segundo lugar, mesmo os afetos menos pontuais, aqueles que supostamente duram um pouco mais, também não são nada fáceis de traduzir em discurso. A linguagem não dá conta da imensa riqueza do que sentimos.

Um exemplo: se não há um amor igual ao outro, ou um instante de amor que se compare, como pode a palavra "amor" dar conta de tanta diversidade? Quem diz que ama uma pessoa, que ama curau ou que ama música erudita estará, de fato, se referindo ao mesmo afeto? Estará sentindo a mesma coisa?

Denunciamos a mesma dificuldade para a palavra "gozo".

Toda sensação de prazer parece singular demais para falarmos a respeito dela. É experiência vivida na intimidade incomparável de quem a sente. No calor de um instante que não se repete.

Como fazer do prazer um objeto de reflexão e de discurso se ele se confunde com o sujeito que o vive, que o sente ou o experimenta?

Quando você fala da sua casa, da sua família, da sociedade em que vive, descreve seu carro — ou aquele que você disse que iria comprar quando tivesse dinheiro —, conta o que tem para comer no almoço de domingo, tudo isso existe fora de você. Ao menos no entendimento da maioria dos grandes pensadores, bem como no chamado senso comum.

Em outras palavras: a casa, a família, a sociedade, o carro e o almoço, tudo isso poderia perfeitamente existir, tal como existe, mesmo sem você.

O mundo se apresenta a quem o observa como fenômeno.

A percepção resulta desse encontro de um ser que percebe — com determinada competência perceptiva e não outra — e o mundo por ele percebido e que lhe é exterior. Árvores, animais, edificações, objetos etc.

Ao mesmo tempo que os percebemos, reconhecemos sua alteridade. Isto é, que são realidades que não se confundem conosco, que apenas as percebemos.

Logo, supomos que outros, como nós, que também percebem, como nós, poderão também as perceber, como nós as percebemos.

Mais um exemplo: ia acompanhando a pé o fluxo dos carros pela Avenida Higienópolis. Pouco antes de cruzar a Avenida Angélica, ela freou seu veículo branco, desses coreanos com aparência de bem moderno. Olhava fixamente para a frente. Fiscalizando o semáforo.

Era V. M. Paixão de muitos anos e vítima de um curto namoro no segundo ano da faculdade de Direito.

Sem pensar duas vezes, abandonei a calçada e avancei, em meio aos carros, para abordá-la.

Como esperado, o vidro da janela estava suspenso. Foi só quando estava a ponto de golpeá-lo com as articulações dos dedos para anunciar minha presença que me dei conta do erro. Não era ela. Mas parecia muito. Mesmo de muito perto. Mas não era ela.

Em poucos segundos, tanta vida vivida. Primeiro uma percepção, uma impressão visual, um flagrante de uma mulher no interior do seu veículo.

Em seguida, o contraste daquela impressão com algum imaginário — aqui, no sentido de memória objetiva numa imagem — de uma mulher de convivência distante no tempo.

Terceiro, uma nova percepção da mesma mulher, agora mais próxima, no interior do seu veículo.

Quarto, um novo contraste com o imaginário. E a constatação frustrante de que não se tratava da pessoa que motivara a aproximação.

Pois muito bem. V. M. não esteve em Higienópolis naquele dia. Talvez não tenha estado em dia nenhum. Uma coisa é a imaginação, e outra é a sua presença efetiva em certo lugar.

No caso do seu prazer, é um pouco diferente. Sem você não haveria o seu orgasmo. Tampouco quaisquer outros prazeres, alegrias, tristezas, temores, esperanças, dores, excitações, amores e ansiedades.

Essas sensações que são suas precisam de você para acontecer.

Tudo o que sentimos é assim. Nossos sentimentos, afetos, sensações, emoções, paixões. Todos se nos apresentam à percepção do lado de dentro. Em interioridade.

Por isso mesmo, perceber a experiência e senti-la terminam por se confundir. A consciência acaba por não se distinguir do seu objeto.

E nada disso é perceptível por outros. Porque ninguém sente o que sentimos. Nem remotamente. Podem nos ver rolar de dor. Mas essa dor que sentimos é só nossa. Dramaticamente solitária. Podem nos ver rir em cólicas. Mas esse regozijo é também nossa exclusividade.

Claro que podem ter simpatia. Podem se alegrar com a suposição da nossa alegria. E sofrer com a suposição da nossa tristeza. Mas, ainda assim, o que sentem não se confunde com o que estamos sentindo.

Sei que minha filha gosta de me ver sorrindo. Mas o que sinto ao sorrir ela não sente. O que ela sente ao me ver sorrir, eu não sinto.

Por isso mesmo, somos ilhas afetivas. E a solidão é condição maior da nossa existência. Mesmo que com milhões de pessoas por perto.

Mesmo quando damos causa às sensações do outro, não podemos senti-las. Como no caso do orgasmo. Você sempre só sentirá o seu. E nunca poderá saber o que sente o outro, na mesma situação.

Por isso mesmo, para que você fale de uma sensação de prazer que teve, seria preciso assumir um pensamento não objetivo, respeitador da experiência sobre a qual se dispõe a investigar.

> Um prazer sempre participa do pensamento sobre ele mesmo.

E é assim. Não adianta resmungar. São as condições afetivas de toda atividade intelectiva.

No dia a dia mais trivial, as sensações prazerosas também encontram importantes reservas.

— Ficaria mais fácil com um exemplo.

Você vai fazer uma entrevista de emprego. O profissional de RH que comanda o processo seletivo lança o primeiro desafio. O mais previsível de todos.

— Fale sobre você.

E, ante essa solicitação, você diz:

— Bom, vou começar falando dos meus prazeres. Adoro tomar sol, dez minutos de frente, dez de costas. Em plena praia, entre oito e nove da manhã. Depois gosto de dar um mergulho refrescante no mar. E então dar uma corridinha, uma aguinha de coco. E voltar para casa. Nada se compara a uma ducha depois da praia. Adoro tomar banho. Passar o sabonete delicadamente sobre todo o meu corpo. Amo. Fico horas no banho. Outra coisa que me traz prazer é comer. Pode ser o que for, comida me encanta. Sem falar dos prazeres de maior intimidade, que a gente reserva para os segredos de alcova.

Sabe o que eu acho?

Que você não conseguiu essa vaga de emprego tão sonhada. Suponho que não era bem isso que o seu entrevistador esperava ouvir.

Mas será que ele tem razão? Não será o prazer um grande valor da vida?

Acho que é o momento de te apresentar um grande sábio. Ele se chamava Epicuro. Viveu em torno de 300 a.C. Como muitos naquele tempo, Epicuro pensava no que era preciso para ser feliz, nos requisitos de uma vida boa.

Ele dizia que, quando temos a alma perturbada, estamos pensando em algo desagradável, a vida não está valendo a pena. É preciso proteger-se das coisas ruins que passam pela nossa cabeça.

— Você pode me dar um exemplo?

Tanta coisa que passa pela cabeça pode ser ruim. A nota de uma prova, a avaliação de um chefe, a doença de um filho.

Muito bem. Epicuro também fez o que você acabou de fazer. Refletiu sobre tudo que pode perturbar a alma. E, para ele, o principal problema que passa pela nossa cabeça, e que tem potencial para azedar a vida, é o fato de ela acabar. A sua finitude. A morte.

— De fato. É muito estranho imaginar que tudo pode acabar de uma hora para outra.

Então ouça:

Para Epicuro, não faz nenhum sentido ter medo de morrer. Afinal, você nunca vai encontrar a morte. Ou você está "vivinho da silva" e, nesse caso, a morte não pode estar; ou é a morte que está, e, nesse segundo caso, seguramente você não estará mais. Logo, o encontro de cada um de nós com a morte nunca se produzirá. Por isso, essa última não é nada para nós.

Você se lembra de ter tido algum sofrimento ou aborrecimento antes de nascer?

Então. Quando a vida terminar, não há mais risco de dor ou sofrimento. Tudo isso é exclusividade de quem está vivo.

Evitar o medo da morte garante alguma tranquilidade. Mas parece pouco para assegurar uma vida boa.

Exatamente. Estou de acordo. E ele também estaria.

Para Epicuro, o grande valor da vida é o prazer.

Prazer, em grego, é *hedonê*. Daí hedonismo: maneira de pensar a vida segundo a qual o prazer é o maior valor.

— Em que consiste essa maneira de pensar, mais exatamente?

Ora, é bem simples. Em qualquer instante, quero dar uma nota para a vida que estou vivendo, saber se ela está valendo a pena ser vivida, o seu valor naquele preciso momento.

Muito bem. O critério proposto por Epicuro é um só:

Teve prazer? Valeu viver. Não teve prazer? Não valeu.

— Parece meio indiscutível.

Mas não é todo mundo que assina embaixo.

— Gostei desse cara! Vou enfiar o pé na jaca. Agora é nós. É balada todo dia. Gosto de estímulo, vou ficar muito doido.

Antes que você continue, não é bem isso que Epicuro está tentando nos ensinar.

Em primeiro lugar, o filósofo observa que os prazeres não se equivalem. Alguns são naturais e necessários.

— O que ele estaria querendo dizer com prazeres naturais?

Aqueles também procurados pelos demais animais.

— E por prazeres necessários?

Aqueles sem os quais você não continuaria vivo. Isto é, os prazeres de que você precisa para viver.

— Como assim?

Uai! Alimentar-se quando se tem fome não traz prazer? Pois bem. Trata-se de um prazer necessário. Porque sem ele você morre. Respirar quando se tem falta de ar não proporciona prazer? Então, esse prazer, pela mesma razão do anterior, é necessário. Tanto quanto repousar quando há grande fadiga.

Já outros prazeres são supérfluos. Nada naturais e nada necessários. Esses que nenhum outro animal cogitaria buscar. E que não parecem nada indispensáveis para continuar vivo.

Esses são de pouco ou nenhum valor.

— Como comprar um carro novo?

Por exemplo. Nada natural e nada necessário. Logo, um prazer que não vale nada.

— E o cheirinho do carro novo? Vai dizer que você não curte aquele cheirinho?

Você deveria se envergonhar. Cheiro de carro novo é o fim da picada. Na filosofia de Epicuro, esse prazer vale menos do que nada. Um prazer de quinta. De décima quinta. Algo de que você deveria se envergonhar perante si mesmo.

Em segundo lugar, os prazeres de valor não podem ser efêmeros. Desses que escapam pelos dedos e depois te deixam zoado, sedento, faminto ou com dor de cabeça.

O prazer que ele tem em mente para conceber uma vida boa é mais duradouro e não te faz mal. Como a tranquilidade da alma, que os gregos denominavam ataraxia.

— Mas não era bem isso que eu estava pensando. Sabia que ia aparecer alguma parada para brochar o meu esquema.

Não se precipite. Procure compreender. Essa vida que você está pretendendo viver, de balada em cima de balada, não pode durar muito. Se você aloprar o tempo inteiro, não há quem aguente.

Veja só.

Quanto tempo dura um orgasmo? No auge da sua potência, uns 10 segundos. É pouco, não é? Então, a gente podia pensar num prazer que durasse um pouco mais, que te acompanhasse por mais tempo.

— O que, por exemplo?

Ora, não se deixar atormentar tão fácil pelas coisas desagradáveis do mundo. A tranquilidade da alma.

Outro exemplo:

É mais ou menos assim: "Eu não queria, mas tenho que te falar. É uma notícia péssima. Pegou fogo, morreu não sei quem". Você, porque é um sábio, porque está preparado, não desaba. Você se segura.

Por outro lado, também não rolam as euforias ridículas. Você fica meio que controlado. Não se deixa desequilibrar. Nem para cima, nem para baixo. Esse seria o primeiro grande prazer. E pode te acompanhar o tempo inteiro. Não é um orgasmo. Por isso mesmo, você consegue conservá-lo por muito mais tempo.

Em terceiro lugar, o prazer de agora não pode destruir a capacidade de ter prazer amanhã. É preciso conservar a capacidade de ter prazer. Para que ela dure.

Em outras palavras: você não pode prostituir o seu corpo a ponto de inviabilizar a capacidade de ter o mesmo prazer desse instante em qualquer outro momento da sua vida.

No final das contas, isso significa conseguir ter prazer com o que é simples. Com o que está ao alcance de qualquer um. Com o que é fácil de encontrar.

Aqui vai um exemplo: a brisa fresca no rosto. Você encontra aonde for, é fácil de achar. Pode sentir na hora que quiser.

Mas se para ter prazer você precisa de um espumante da safra tal, que vem do lugar tal, que custa não sei quantos mil a garrafa, será mais raro. Será mais difícil. Portanto, fará menos parte da vida.

O sábio é aquele que tem prazer com o que está à mão, o que pressupõe uma vida frugal. Uma vida de apreço genuíno pela simplicidade.

— Nossa, que coisa linda!

Pois é. E isso não é uma terapia de vida indiscriminada. Porque, como temos traços pessoais, nosso prazer também é, em parte, específico. Particular mesmo.

Outro exemplo.

Estou aqui gravando este *podcast*. Sabe-se lá quantos o ouvirão.

Você concorda comigo que o prazer que cada um sentir, no caso de haver prazer, será muito próprio, muito pessoal. Existe aqui uma sabedoria de conhecimento de si que passa pela consciência daquilo que costuma produzir prazer em nós.

Só essa consciência nos permite zelar pelo prazer de amanhã.

Mais um exemplo, que bem poderia ser do próprio Epicuro: adoro arroz. Faço arroz sempre. Aí, invariavelmente, quando estou comendo arroz, aparece alguém que, um pouco desrespeitador da pessoalidade dos momentos de prazer, diz:

— Está comendo esse arroz seco? Esse arroz sem nada? Joga uma carninha aí.

Como se o meu conhecimento do meu próprio prazer fosse equivocado. Deficitário. Estranho.

Nesse instante, eu tiro o que a pessoa pôs no meu prato e digo:

— Para mim, o arroz basta.

Até porque, diria Epicuro, se você começar a comer arroz sempre acompanhado de algo mais, dificilmente voltará a conseguir ter prazer só com arroz.

Os estímulos do corpo costumam cobrar o dobro da dose para obter o mesmo efeito. É preciso ter cuidado. Zelar pela capacidade de ter prazer amanhã. Questão de sabedoria. Questão de se conhecer. Questão de traços pessoais.

Agora, uma história.

Esse hábito de contar uma história para pôr um ponto-final numa atividade me faz lembrar de um técnico de natação americano com quem convivi durante certo tempo. Chamava-se Richard.

Ele tinha por hábito premiar os atletas que tinham se empenhado no treino com uma pequena barra de chocolate. Um Diamante Negro. Existe até hoje. O chocolate. O técnico não sei. Faz muito tempo.

Aqui a história faz o papel da barra de chocolate. Como eu sei que você se empenhou com sua atenção a tudo que tentei propor durante o *podcast*, ofereço essa narrativa. De vida vivida por mim mesmo. Dessas saudades doídas do que ficou engasgado na imaginação e desistiu de viver.

EPISÓDIO 6

Mistérios da meia-noite

Era o começo do ensino médio. Primeiro colegial daquele tempo. Eu tinha treze anos. O professor de Matemática anunciou o assunto inaugural do programa 6: logaritmo.

Sérios, os alunos, meus colegas de toda a vida vivida até aquele instante, reverenciavam em contrição aquele ilustre desconhecido com três letras grafadas em giz no quadro-negro: “l”, “o” e, por último, “g”.

Afirmou ele, o professor, como talvez o tenha feito para turmas anteriores nos últimos trinta anos, que se log de a na base b = x, então...

Trinta anos. Tempo mais do que suficiente para se convencer da pertinência indiscutível daquela abordagem. Toda repetição longeva tem esse efeito legitimador. Tem que ser daquele jeito simplesmente porque sempre foi assim. Tirania estranha do passado sobre o presente. Passado que, aliás, nem sempre tem razão.

Então o quê? — perguntei-me um pouco afoito, enquanto ele grafava na lousa. Como conseguiríamos sair daquele enrosco incompreensível?

Log! Log! Nem uma palavra do professor sobre aquele amontoado de três letras. Tampouco sobre a palavra “logaritmo”. Como fez falta um pouco de história da palavra: onde surgiu, em que época, enunciada por quem, a partir de quais necessidades, qual contexto. Nada. Nada.

Então, ele continuou naquele tom de leve obviedade desdenhosa e enfadada. O tal “b” citado, quando elevado ao mesmíssimo “x” do começo da frase, seria igual ao “a” remanescente.

Tínhamos acabado de substituir um desconhecido logaritmo por uma potenciação supostamente familiar. Operação celebrada pelo mestre. Talvez por conta do ganho de proximidade com o repertório presumido de seus alunos.

De fato, graças à sua astúcia didática, aquilo que ainda ignorávamos completamente era equiparado ao que já conhecíamos, miseravelmente.

Alegria!

Nesse instante, lembro-me de ter levantado a mão. Registro que, naquele lugar e época, essa iniciativa de interpelar o docente era mais esporádica.

Solicitei-lhe que relacionasse aquele tal de logaritmo recém-apresentado com algo mais próximo ao nosso cotidiano. Que tivesse a ver com a nossa vida, com experiências do dia a dia, com mundos que nos fossem mais familiares, que pudéssemos encontrar mais amiúde.

Ante a fisionomia incrédula do explicador, entendi por bem continuar argumentando.

Aquela substituição do logaritmo por potenciação era, no meu entender, o mesmo que trocar seis por meia dúzia. Em especial para todos aqueles que, como eu, não tinham entendido muito bem o que essa última tinha a ver com o resto de suas existências.

Foi a gota d'água. Nesse instante, o professor finalmente dignou-se a se indignar comigo. De fato. Até então, eu não passava de um fedelho insignificante. Dali em diante, havia sido rebaixado — ou quem sabe promovido — ao rango de incomodativo.

A pergunta que ofereceu como resposta, cheia de cólera, passou como um trator sobre a tradicional indulgência de adultos quando conversam com pessoas muito mais jovens.

— De onde você tirou que estou aqui para deixar você feliz? Saiba que meu papel é bem outro. Isso aqui é matemática, e não parque de diversões. Se você não está feliz, basta sair da sala e me deixar trabalhar em paz.

Com um misto de polidez e temor reverencial, reuni forças para propor que, se eu entendesse a relação daquele log de a na base b = x com alguma outra coisa que fizesse parte da minha vida, aquele assunto poderia se tornar mais interessante, convertendo-se num estudo mais agradável. E, assim sendo, quando tivesse que resolver a imensa lista de exercícios, a tarefa seria menos árida.

O professor, a cada instante mais irritado, agora vociferava.

Segundo ele, tudo que eu acabara de sugerir não passava de uma grande frescura. Saber resolver logaritmos era uma obrigação escolar. O gosto ou desgosto do aluno não fazia para ele a menor diferença. E que era melhor eu tratar de encontrar a resposta certa; caso contrário, não seria aprovado. "Tomar bomba", lembro bem, foi o termo empregado em sua ameaça.

Não contente, o educador foi além.

Afirmou que o logaritmo poderia perfeitamente se instalar em meu repertório como uma espécie de ilha. Cercada de ignorância por todos os lados. Sem exigir nenhuma relação com o resto das ideias que povoava a minha mente. Que esse isolamento não me impediria de encontrar as respostas corretas. Mesmo que não enxergasse naquela operação nenhum sentido.

Ousei ainda redarguir sugerindo que tudo aquilo por ele mencionado condenaria o estudo a uma espécie de tristeza crônica, típica de quem executa tarefas sem entender o propósito.

Procurando pausar as palavras e retomar o controle aparente sobre as próprias emoções, com notas pronunciadas que ainda oscilavam entre o enfado e a indignação, o professor esclareceu que havia, sim, um propósito.

Aliás, vários: passar de ano, tirar nota na prova, obter o diploma, prestar vestibular, entrar na faculdade e, algum tempo depois, agora com o canudo na mão, ver se finalmente eu encontrava algo de útil para fazer na vida.

E que o resto era absolutamente irrelevante.

Algumas quatro ou cinco décadas se passaram desse diálogo. Esse, como podem ver nos parágrafos anteriores, permaneceu guardado na minha memória. Sem, contudo, que eu tenha, nesse longo intervalo de estudos, robustecido significativamente minhas convicções. Tampouco mudado de opinião sobre o tema.

Aproveito as linhas que seguem para agradecer ao referido mestre, cujo paradeiro ignoro. Em primeiro lugar, por ter participado de modo decisivo nessa etapa do meu autoconhecimento. Suas lições contribuíram sobremaneira para o meu diagnóstico de apreço pelas disciplinas da área de humanas.

Em segundo lugar, por lapidar em mim convicções a respeito de como um professor não deve jamais agir. No meu caso, com 35 anos de carreira docente, trata-se de ensinamento que nunca ousei desprezar.

Assim, o respeito pelas ideias alheias, pelas ponderações de quem quer que seja, a consideração pelo direito universal de manifestar seu ponto de vista, tudo isso passou a integrar o meu DNA profissional, graças às paixões tristes por ele desencadeadas.

Tanto é assim que mesmo as suas afirmações — atravessadas de truculência, desrespeito e covardia — mereceram, da minha parte, a mesma consideração (e avaliação de plausibilidade) de quaisquer outras a mim submetidas por gente mais polida e menos ressentida.

E se o tal professor tiver razão?

E se esse prazer de aprender for mesmo para poucos? Nesse caso, se vincularmos o aprendizado ao prazer, não ensinaremos quase ninguém.

Afinal, com o resto também é assim. Há apreço por quase tudo. Alguns adoram chupar limão. Outros salivam com jiló. E há quem não goste de chocolate. Por que, então, deveriam todos ter prazer em aprender, em pensar ou conceber ideias?

Sorte dos que regozijam com as ideias. Costumam pensar bastante e não ter problemas para aprender. Edgar Morin é um ótimo exemplo. Inaugura um capítulo em seu livro *Connaissance, Ignorance, Mystère* com frase em dois verbos: *j'aime connaître*. Eu amo conhecer.

Afirma sentir sempre e vivamente o prazer das descobertas, das elucidações. O resgate do fascínio das curiosidades de criança, das interrogações de adolescência. Da emoção dos 27 anos, ao escrever *L'Homme et la Mort*.

E de sugerir, pela primeira vez, uma abordagem transdisciplinar para enfrentar aquilo que, na condição humana, salta aos olhos de qualquer um como o mais problemático.

Afirma reviver pela lembrança cada emoção sentida ante descobertas e elucidações. Do macro ao micro. Do Universo ao piscar de olhos. Do mundo ao cotidiano.

Deixar-se maravilhar com o próprio caminhar. Com estar sob o sol. Com a lua no céu noturno. Com as estrelas e constelações. Tão pequenas aos olhos e tão imensas ao conhecimento.

E se dar conta, a cada degrau galgado na escada da lucidez, mais evidente tornando-se a cada fiapo de lucidez, de que o mais evidente torna-se sempre o mais misterioso também.

Mas nem todo mundo é Edgar Morin.

Talvez, por isso mesmo, concedendo alguma razão ao docente do colégio, o conhecimento tenha que ir além do "prazer em conhecer". Afinal, com ou sem prazer, dominar com inteligência certos dados da realidade parece condição para sobrevivência em sociedade e mesmo fora dela.

E depois, em que consistiria exatamente essa atividade de aprender e conhecer?

Eu tinha só treze anos, vale a pena lembrar.

Hoje, acredito ser essa a idade da humanidade. Os horizontes da genética, da biologia molecular, da cosmologia e da metafísica começam a se abrir aos nossos olhos. E a se cruzarem também, para os mais lúcidos. Não passamos de crianças curiosas em busca de respostas para as perguntas que conseguimos formular.

Por isso mesmo, quase tudo ainda está do lado de fora. Do aprendizado e do conhecimento. É o mistério do mundo e a ignorância das mentes bailando em perfeita harmonia. E zombando, aos risos largos, dos currículos escolares, pretensiosos e fechadinhos, destilando coerência aparente em cada item.

"Mistérios da meia-noite, que voam longe, que você nunca, não sabe nunca, se vão, se ficam, quem vai, quem foi." Assim canta o genial poeta. Neles empacam as investigações dos mais sábios. E dos menos arrogantes.

Pascal, que também se interessava pelas matemáticas, sugere, com humildade, que as ciências têm duas extremidades que se tocam.

A primeira delas é a pura ignorância. Nela se encontram todos os humanos ao nascer. Na outra, só chegam as grandes almas. Estas, depois de percorrer tudo que homens e mulheres podem saber, percebem que não sabem nada, retornando, assim, para a ignorância de onde partiram. Mas não há retorno para o mesmo ponto. Porque agora a ignorância é de outro tipo. Sábia. E consciente de si mesma.

Victor Hugo é outro que denuncia essa diferença. Para o autor de *Os miseráveis*, o humano que não reflete vive na cegueira — de alma, eu presumo. Enquanto a reflexão o traz finalmente para a escuridão.

Tudo é real. Mas ao mesmo tempo não o é. Ao mesmo tempo real e não real. O mundo não é nem real nem não real. Ao menos para nós. Lição notória de Buda. Quem sabe esse mundo não passe de um possível que aconteceu em meio aos outros que não abandonaram a mera possibilidade...

Morin chama nossa atenção.

A realidade é a de um mundo em três dimensões. No interior das quais surgem objetos, atividades, acontecimentos em tempo e espaço. Ela é constituída de matéria, energia, informação.

A despeito das experiências, para nós indubitáveis, que temos dessa realidade, do nosso próprio ser, dos acontecimentos em que nos envolvemos, da nossa própria natureza, da nossa terra, do nosso mundo, do tempo e do espaço, temos por vezes a sensação do pouco de realidade da nossa realidade. Como se houvesse vazio demais. Como se tudo escapasse ou se dissolvesse num fluido inapreensível.

Platão nos jogou na caverna e nos acorrentou a contemplar sombras. Para outros de tempos também antigos, a realidade seria Maya, um mundo só de ilusões. Os budistas nos trazem *samsara* (mundo impermanente de aparências). Shakespeare, em *A tempestade*, não hesita a nos reduzir a sonhos.

E o genial ídolo dos italianos, Leopardi, vai um pouco além de todos os outros ao afirmar que, sendo o real um nada, é coisa absurda, mas verdadeira, que o substancial no mundo seja só ilusão.

O que chamamos de realidade é percebida — de certo modo produzida — por um indivíduo percipiente. Assim, essa realidade não seria feita propriamente de coisas, objetos, corpos e ocorrências entre eles todos. Mas de algo "coisificado" por nós, "coisificadores" de mundos.

Na relação que se impõe entre realidade, conhecimento, mente e cérebro, ignoramos muito mais do que conseguimos supor. Um desconhecido que resiste, no interior mesmo do que supomos mais verdadeiro. E o espírito investigador, que tanto elucida, torna-se misterioso a si mesmo. Escapadiço ante o próprio entendimento.

Naquele tempo de treze anos de idade, o que eu pedia ao docente cheio de certezas era, no fundo, um pouco de transdisciplinaridade. Claro que não soube me explicar adequadamente. Que não usei os termos que só encarnaram os modismos conceituais décadas depois.

Mas era mesmo isso que eu queria dizer. Um pouco de história, geografia, literatura, física e bom senso teriam ajudado muito para tirar o log de a na base b da ilha em que o professor o isolou e que lá se encontra até hoje, com previsão de grande perspicácia e sabedoria.

EPISÓDIO 7

Na conta dos meus amores

Eram meus tempos de tripeiro. Para os ouvintes brasileiros, assim denominam os portugueses os nascidos ou residentes na cidade do Porto. Morava a um espirro e meio da Trindade. A mais central estação de metrô da cidade.

O almoço era mesmo ali. Na padaria Pão Fofo, bem ao pé da descida da Rua Camões. Isso, todos os dias, exceto domingos. Não por luxo meu. Menos ainda por me permitir uma variação semanal. É porque fechavam os padeiros no sábado às 20h para só reabrir na segunda-feira, com a tropa descansada e o caixa por encher.

Dava as caras sempre minutos antes das três. Porque a essa hora justa, do ângulo reto dos ponteiros, decretavam o fim do almoço. Por ser tarde, comia o que ainda havia, mas sem o afogadilho das mesas todas ocupadas e a fila que ia ocupando o longo corredor que dava acesso ao salão das mesas.

Naquela terça, ainda restavam a sopa do dia, a de espinafre, e o prato também do dia, sempre mais em conta e nem sempre oferecido nas minhas horas de professor indolente. Era um peixe empanado, acompanhado de um arroz caldoso de legumes. O tal caldo, bem apurado no azeite, com ênfase nos repolhos cozidos, bem cozidos, e temperados com esmero. Uma finura de refeição. Dali, só mesmo o pão doce prensado com manteiga para pôr fim ao meu regalo.

O atendente que me tocou naquele dia me é velho conhecido, como todos os demais. Como faziam rodízio entre eles, ocupando eu sempre a mesma mesa, acabava servido por todos. Esse era português de lá mesmo, jeitinho ligeiro, circulava entre as mesas cantarolando agudo as mesmas canções do Brasil.

A clientela era anormal para o horário. E alguns de seus colegas já se ajeitavam para deixar o turno, resultando num acúmulo circunstancial de tarefas. Alguns clientes puseram-se a reclamar da demora. Foi quando o nosso amigo, para meu deleite de observador solitário, explica em tirada de manual, com nota de obviedade e carregado sotaque local, que fez sorrir os repolhos:

— Eu sou só mesmo essa unidade visível. O resto vou pôr na conta dos meus amores, que me querem ver duplicado.

Fui muito feliz ali. No Porto, na Trindade, na Rua Camões, na Pão Fofo. Lembranças saudosas de um tempo que, quando presente, nunca quis que virasse passado. Fazer o quê?

Eu sou só mesmo essa unidade visível. Nada mais espirituoso para começarmos o *podcast* de hoje. Sobre quem somos. Sobre saber quem se é.

"Conhece-te a ti mesmo"

Foi com essa lição de vida que a filosofia começou. Ao menos a nossa. A filosofia do Ocidente.

"Conhece-te a ti mesmo!"

O tempo verbal é imperativo. Conhece-te. Trata-se de uma ordem. Ou uma advertência. Supõe-se que haja também preocupação por parte de quem comanda por quem é chamado a obedecer.

"Conhece-te a ti mesmo!"

— Mas pra quê? — você pergunta. — O que estará em jogo?

O que está em jogo é a vida boa. É o viver bem.

— Ainda não entendi o que tem a ver...

Ora, você que me ouve. Eis o que tem a ver:

Se você quiser ter uma vida boa, poderá ajudar muito, para não dizer de uma vez que é imprescindível, conhecer-se a si mesmo.

Sempre ajuda olhar pelo outro lado. Pelo negativo. Nesse caso, se você não se conhecer a si mesmo, será mais difícil, ou mesmo impossível, ter uma vida boa.

Mais uma tentativa. Em nome da clareza.

Quem é ignorante de si mesmo tenderá a ter uma vida pior. Ou tê-lo-á, assim de claro. Na bucha.

— Parece meio óbvio, não?

No que se trata da vida vivida no contexto escolar universitário, parece mesmo muito evidente. Mas, se você sair na rua e conversar com viventes de carne e osso, verá que a afirmação não tem nada de óbvio.

Ser conhecedor de si mesmo, saber com clareza quem você é poderá indicar uma carta na manga na hora de enfrentar a infinidade de situações que a existência vai nos apresentando. Todas inéditas. Diferentes umas das outras. E muitas bem difíceis de encarar.

E então você, curioso que só, pergunta:

— Será que conhecer-se a si mesmo basta para uma vida boa?

Vamos pensar juntos. Só nós dois.

Você já reparou que, desde o nascimento, o mundo não saiu da frente? E temos fortes indícios de que, até o final da vida, esse mesmo mundo permanecerá aí onde sempre esteve, bem na sua frente.

A vida, toda ela, é vivida no mundo.

— O mundo é o seu lugar.

Sem dúvida. Mas não só. O mundo não é só o lugar onde vivemos.

— Por que não?

Sua tia Elvira pergunta pelo pedaço de goiabada que sobrou do café da manhã. E alguém responde que está em cima da mesa da copa. Trata-se aqui da posição ocupada pela iguaria.

— Sem dúvida.

Mas, quando dizemos que a vida é vivida no mundo, vamos além de uma posição.

Em primeiro lugar, porque o mundo aqui não é o planeta Terra. Está mais para o Universo todo, com toda a sua infinitude. E dizer que a vida é vivida nesse Universo não ajuda em nada a situar o vivente.

Em segundo lugar, e aqui está o mais importante, viver no mundo não é só se situar nele, mas também interagir com ele, relacionar-se com ele. O que significa, de um lado, ser por ele afetado a cada instante. E, de outro, também o afetar a cada instante.

De tal modo que nessa relação somos transformados pelo mundo ao longo de toda a vida. Caso você não se dê conta, é porque é ruim de se dar conta.

O mundo, como o vento e suas impurezas, vai estragando a pele do seu rosto. Para a alegria dos produtores de cosméticos. A cadeira te cutuca por baixo e te danifica as costas. Ganha-pão dos fisioterapeutas. O chão reage ao seu pisar. Daí os solados anatômicos. Tudo o que você ingere aciona os órgãos da digestão. O que não for evacuado será incorporado.

Não há como ficar imune.

Por isso mesmo, uns dos elementos materiais mais importantes da vida são os encontros e as relações que cada um de nós, viventes, vai mantendo com os diversos pedaços de mundo que vão aparecendo pela frente.

Ora, se a vida requer encontros e relações, para todo vivente humano, conhecer-se a si mesmo resolve só uma parte do problema.

— Claro. Ainda falta conhecer o tal do mundo!

Exatamente.

Para entender o que vai acontecendo ao longo da vida, talvez seja preciso dar conta dos dois: conhecer-se a si mesmo e conhecer o mundo que esse "si mesmo" não para de encontrar. Em outras palavras, conhecendo-se e conhecendo o mundo, o vivente dispõe do que precisa para atribuir sentido ao que lhe acontece.

Como estamos sempre em relação, conhecer-se a si mesmo implica conhecer ou entender o que vai acontecendo consigo mesmo no mundo.

Aí você se pergunta:

— Mas o que há para conhecer em mim mesmo?

Pois é. Essa é a pergunta mais difícil. Acho que vamos ter que atirar para todo lado.

— Como assim?

Você tem corpo. Que se movimenta. Que age nas mais diversas situações. Mas você também encadeia palavras, articula pensamentos, produz ideias, pensa. Finalmente, você percebe o mundo. Tem experiências. Sensações que delas decorrem, emoções, afetos. Viu?

— Quando você disse atirar para todo lado, referia-se a tudo que pode fazer parte de cada um de nós.

Pois é. Como na história do pensamento a essência do ser humano é muito controversa, não há certezas sobre o que precisaríamos conhecer em nós mesmos para nos conhecer de verdade.

— Entendi. Você tem razão. Melhor se garantir.

Você é dotado de certa natureza. Constituída por células, tecidos, órgãos etc. Para alguns pensadores importantes, isso é tudo. Todos os atributos, as faculdades e as competências de um ser vivo se realizariam a partir dessa natureza orgânica.

Já para outros, não é bem assim. Haveria em você algo mais do que células, que alguns chamam de alma. Caberia a essa última sentir, desejar e, sobretudo, pensar.

Por enquanto, isso não nos importa.

O certo é que você não é idêntico a nada nem a ninguém mais. Portanto, a natureza que te constitui não é a mesma de nenhum outro vivente. Tudo de orgânico que agora te confere materialidade não pode estar ao mesmo tempo em nenhum outro corpo.

Essa natureza individual e específica lhe permite determinadas habilidades na hora de agir. Torna você mais apto a certas ações do que a outras.

Hoje essa natureza é questão de genética, de cromossomos, de genoma. Mas, mesmo com todos os genes a postos, ainda é preciso viver. Traduzir em competência. Converter em desempenho. Fazer acontecer na vida vivida.

Já percebeu a facilidade com que Lionel Messi mantém a bola colada ao seu pé, passa pelos adversários e a chuta, de modo a endereçá-la exatamente para onde ele quer?

Muito desse desempenho resulta de treinamento. Com certeza. Mas não só. Quando Messi era um menino, já fazia chover nas peladas em Rosário. Tanto que o Barcelona foi buscá-lo. Tímido, introvertido, calado e taciturno.

A natureza lhe deu atributos que, submetidos a bastante repetição e treinamento, lhe facultam esse extraordinário resultado prático. Tão aplaudido mundo afora e que vale tanto dinheiro. Essa competência — que atualiza a cada partida uma potência natural — participa do seu eu. Esse "eu mesmo" que o jogador é intimado a conhecer.

Sêneca, um grande pensador romano, foi legislador, juiz consulto e professor. Ele estava convencido de uma coisa: cada um de nós recebe uma natureza. E essa natureza sempre tem algo de muito especial, muito particular, muito valioso.

Para facilitar a sua compreensão, vamos nos permitir chamar esse pequeno tesouro de talento.

O talento de cada um permite identificar o seu dono perante outras naturezas, outros entes, outros corpos, outras pessoas. É o eu mais profundo. Mais enraizado. Mais genuíno.

Esse “eu” vai para a vida. Encontra o mundo e se relaciona com ele. Afeta e é por ele afetado. Vai sendo trabalhado, esculpido, moldado e aperfeiçoado ao longo dos encontros.

Como qualquer semente, ela germina em terreno que lhe é adequado.

Imagine o arroz. Não surge do nada no saco do supermercado. Arroz é planta que requer um terreno muito particular para ir adiante. Quase só água. Qualquer coisa mais seca, e a vida do arroz fracassa. Ele não alcança o seu esplendor.

Em compensação, você sabe, há também muitas sementes que, se expostas a muita água, não vingam. Algumas precisam de areia, de secura.

Se no mundo das plantas cada semente tem a sua preferência, no nosso mundo, a semente de cada um de nós poderá se dar bem num terreno, e não em outro.

César Cielo, por exemplo.

Poderia nunca ter se dedicado à natação. Nesse caso, não teria descoberto essa extraordinária habilidade que é sua. Mas, quando descobriu, passou a conhecer mais sobre si mesmo. Plantou a vida no lugar da pujança. E, dentro da piscina, em Santa Bárbara d'Oeste, viu a sua planta florescer e frutificar.

Outro exemplo é João Carlos.

Menino ainda, percebeu que, quando ouvia música, tudo fazia sentido. Rapidamente se deu conta de que sua natureza lhe facultava algumas habilidades de audição, de afinação, de sonoridade. Decidiu então plantar sua semente em estudos de música. Tornou-se maestro. Orgulho do nosso país.

Cielo e João Carlos primeiro sacaram qual era a praia deles, seus talentos específicos. E, depois, cada qual apostou em si mesmo. E pra valer.

Isso nem sempre acontece.

Muita gente sabe bem qual é a própria praia, identifica rápido o próprio talento, mas, por comodidade, preguiça ou mesmo covardia, acaba vivendo sem explorá-lo. Virando as costas para a própria natureza. Comunicando ser quem não é. Falseando a própria existência. Comprometendo sua autenticidade.

E você pergunta:

— E por que alguém decidiria viver de costas para si mesmo?

Porque não vivemos sós. Porque a sociedade tem seus valores. Premia e castiga. Endeusa e despreza. Concede holofotes e trevas. E nem sempre o seu talento está alinhado ao que a sociedade, da qual você faz parte, considera de maior valor.

E, nesse caso, não faltarão palpiteiros, por vezes usando instrumentos eficazes de persuasão, para direcionar sua vida ao que é mais rentável, legítimo, aplaudido e saudado. Não raro, com a melhor das intenções.

Um exemplo sempre ajuda.

Tito Pompônio é amigo de Cícero. Tem um talento que lhe permite correr com uma colher na boca e um ovo cru na ponta. Com uma maestria única na história. Ele descobriu isso desde cedo nas gincanas da escola.

O problema é que ninguém aplaude muito quem se desloca em alta velocidade carregando um ovo numa colher segura pela boca. Não há campeonatos internacionais da modalidade. Tampouco prêmios milionários aos mais talentosos. Nenhum patrocinador investe num atleta com essa habilidade.

Só mesmo Cícero para se encantar com a sua maestria.

— Mas isso é muito injusto.

Eu também acho. Afinal, por que tanto dinheiro para quem encaçapa bolas brancas com tacos e luvas em campos gramados, arremessa dardos em alvos pregados na parede e nada para quem leva ovo na colher com a boca? O que há de tão inferior nessa última atividade em relação às anteriores?

Você tem habilidades pelas quais o pessoal está disposto a pagar fortunas e outras que valem muito pouco. Nesse caso, é compreensível que algumas pessoas passem a viver fora da sua praia. No exercício de atividades sugeridas pelos outros. Abrindo mão da sua natureza mais profunda. Das suas habilidades mais genuínas. Do seu talento.

Por isso, na hora de pensar na vida, não custa lembrar.

Conhecer-se a si mesmo não basta. É preciso ter a coragem de apostar na própria natureza. Botar a vida como homenagem à sua própria essência. Aí, sim, e só aí, você viverá uma vida autêntica.

EPISÓDIO 8

Me leve sem destino

Tudo na realidade do mundo pode ser fascinante de conhecer. Todo tema pode ser interessante e suscitar pensamentos.

E não é só por conta dos seus atributos que o mundo é interessante. Nós, seres humanos, também somos pra lá de curiosos. Bisbilhoteiros mesmo. Enxeridos, como dizem outros.

O conhecimento junta a nossa fome com um mundo delicioso de comer. Se só houvesse mundo, sem humanos sabichões, ou então só humanos sem mundo algum para conhecer, não haveria conhecimento.

Essa nossa fome de conhecimento é destacada por muita gente importante. Há quem afirme que esse nosso interesse é tão presente e indiscutível que faz parte da nossa natureza humana.

Eu não sei se iria tão longe. Na observação dos meus alunos ao longo de 35 anos de docência, entendo que essa avidez tão decantada pelo conhecimento mereça um dedinho recuado de pé.

Sabe aquela última aula de sexta, período noturno? Ou a de quinta, também das 19h às 23h, concorrendo com a cervejada (de toda quinta)? Então, em casos assim, Aristóteles que me perdoe, mas o interesse pelo conhecimento parece bem menos universal do que dizem. A nítida impressão é a de haver alguns estudantes muito mais encantados, embasbacados e curiosos do que outros pelo conteúdo do programa.

E olha que estou propondo uma comparação entre estudantes num cenário com coincidências difíceis de reproduzir fora do ambiente escolar: idade, anos de estudo, instituição, curso, professor, sala de aula, colegas, currículo, programa, quando não renda dos pais, nível social e até valores, representações de mundo e ideologias.

Enfim, aceitando ou não o interesse pelo conhecimento como inerente à nossa natureza, o certo é que a filosofia começou por causa disso.

De fato. A causa primeira da filosofia estaria nessa estupefação dos seres humanos diante do mundo. O espanto. Gosto da palavra usada pelos franceses: *étonnement*.

Talvez, assumo aqui o papel do chato, esse espanto não seja comum a todos nós. Ou, ao menos, não seja igualmente constante ou intenso em cada um. Por isso mesmo, no começo deste episódio, tomei o cuidado de sugerir que todo tema "pode" ser interessante.

Ora, se o espanto com o mundo converte qualquer fragmento em tema fascinante, podemos apostar algo. Sem medo.

Falaremos hoje sobre o vento.

Acredito que, se conseguir tornar esse tema apetecível à maioria, fica comprovado que qualquer outro assunto pode ser muito interessante.

Eu sempre me encantei com o vento. Desde criança. Isso de senti-lo na cara, às vezes bem forte, sem nada ver com os olhos, era muito legal. E continua sendo. A famosa cena do *Titanic*, com a Kate Winslet e o Leonardo DiCaprio, a Rose e o Jack, em contato íntimo com o vento marinho, agarrados no bico da proa, é inesquecível.

Vento é ar, de massa considerável, em deslocamento vultoso. Eis como, em geral, definem os dicionários.

Mas podemos ir um pouco além. Afinal, este episódio não pode terminar tão cedo. Não gravamos nem cinco minutos de áudio. E, para nossa sorte, há quem não se contente com definições de dicionário e suas peremptórias verdades.

Vento é substância, diria Aristóteles. E, como toda substância, uma combinação de matéria e forma.

A matéria corresponde àquilo do que a substância é feita. O famoso mármore da estátua. A madeira da mesa. O tecido da roupa. No caso do vento, a sua matéria é o ar. Sim, senhor. Vento é feito de ar. Logo, o ar é a matéria do vento.

Esse ar, por sua vez, é constituído por diferentes tipos de átomos. Por diferentes elementos químicos. Como sabem, o que faz um elemento químico ser aquele, e não outro, é o seu número atômico. Ou seja, o número de prótons existentes no seu núcleo.

No caso do ar, a sua matéria é constituída de quase 80% de átomos de nitrogênio e quase 20% de átomos de oxigênio. O resto é bem pouquinho. Você, ligeiro em somar porcentagens, já tinha percebido.

E esses átomos de ar, que constituem a matéria do vento, encontram-se em movimento. Sempre.

O todo do nosso ar é a atmosfera. Gigantesca camada que circunda a parte sólida e líquida do planeta. Sem ela não teríamos ar nem vento.

A pergunta de criança curiosa, que sempre aparece aqui, é mais que previsível: por que o ar, tão abundante, não se dispersa pelo Universo afora?

Ora, querido ouvinte. Porque ele é atraído pela parte sólida do planeta. Tal como acontece conosco, quando nos atiramos do oitavo andar. Ou do quinto, para homenagear a Legião Urbana.

Então. O que segura todo esse arzão por aqui é a força da gravidade. Que, por sua vez, advém da massa da Terra.

A parte da atmosfera mais próxima da crosta está mais firmemente agarrada. Controlada pela rédea curta da atração ciumenta do sólido. À medida que o ar se afasta nas alturas, vai ficando mais atrevido, mais solto. Avança saliente e doidinho para se emancipar.

Mas, como os ares que se atrevem a fazer pouco dos carinhos calorosos da Terra-mãe são só os mais desdenhosos, frios e pouco numerosos, a coisa lá em cima vai ficando cada vez mais rarefeita.

De fato. É preciso bater muita asa para dar de cara com algum ar ermitão. Às vezes, basta subir um pouquinho para os atletas menos acostumados sentirem a diferença na hora de recuperar o fôlego.

Outra pergunta muito comum: é só a Terra que tem atmosfera?

Claro que não. Não faltam planetas pelo Universo com suas atmosferas. Porém, os planetas de pouca massa têm atração gravitacional insuficiente para constituir uma atmosfera gorda como a nossa. É o caso de Mercúrio.

Mas, como o assunto deste episódio é o vento daqui mesmo, aqueles que tiverem curiosidade encontrarão na internet informações bem interessantes sobre as atmosferas dos planetas.

Voltando ao nosso vento. Falávamos de substância. De matéria e forma. Apresentamos com humildade extrema a matéria do vento. Para terminar, vale lembrar que a matéria, seja do que for, nunca é o que faz um ente qualquer ser o que é.

Uma palavrinha sobre essa palavra "ente" que acabei de usar. Ela entrou no lugar de qualquer coisa, treco, negócio, termos mais usados na conversa diária.

De onde vem a palavra "ente"? Ora, para ficarmos no mais simples porque a abstração aqui pode ir bem longe. Um estudante não é aquele que estuda? Um fabricante, aquele que fabrica? Degradante não é aquilo que degrada? Então. Da mesma forma, "ente" é o termo usado para indicar o substantivo correspondente a tudo que é.

Desse modo, o substantivo "crente" está para o verbo "crer", assim como o substantivo "ente" está para o verbo "ser".

Retomando o que dizíamos. Não é a matéria que faz aquela substância ser o que é. Tanto que ela, a matéria, pode passar a ser outra, mudada, substituída, sem que aquele ser seja alterado.

No caso do vento, a composição do ar — que é a sua matéria — pode variar muito em função de altitude, localização e até poluição. Da mesma forma, a estátua também pode ser de madeira e a mesa, de mármore. E nem por isso deixam de ser ar, estátua e mesa.

Mas se não é a matéria que faz com que aquele ente seja o que é, o que é então?

Ora, ora. Não vá se confundir. Dois neurônios com alguma intimidade entre eles, ao se esfregarem, darão conta. Se tudo é constituído de matéria e forma e, como vimos, não é a matéria que define um ente qualquer, então só nos terá restado mesmo a forma.

De fato. O que faz qualquer ente ser o que é, é a sua forma. Aliás, a forma é exatamente isso. E nada mais do que isso.

Em resumo, para que você não me escape, faceiro e faceira que é. Se toda substância é constituída de matéria e forma, e a matéria, como vimos, é aquilo do que é feita a substância, a forma corresponde à estrutura que faz com que aquele ente seja o que é.

Que o ouvinte não se engane. Imagino que tenha na cabeça a palavra "forma" associada a redonda, quadrada, oval, comprida, estranha etc. Pois bem. Atenção. A forma, para nós aqui, nada tem a ver com os contornos da matéria de um objeto qualquer.

A forma, eu repito, é o que faz o ente ser aquilo que é. É a estrutura que determina o seu ser.

Assim, a forma de um armário não é a mesma de uma penteadeira. Porque um armário é um armário, e uma penteadeira é uma penteadeira. O que faz com que um armário seja armário é a sua forma. O que faz com que uma penteadeira seja penteadeira também é a sua forma. E eles têm formas diferentes, claro. Porque são coisas diferentes.

Mais exemplos.

Pense em tudo que deve ter num sofá para que ele seja sofá. Mesmo que não saibamos usar os termos apropriados, com certeza temos uma boa ideia do que faz um sofá ser sofá. Porque todas as vezes que encontramos um, mesmo que bem estilizado, diferentão, sabemos na hora tratar-se de um sofá.

Outra coisa, bem diferente, são os limites sensoriais do sofá. O seu contorno.

Mais comprido ou mais curto. Mais largo ou mais estreito. Um sofá de dois lugares é menor do que um de três. Que é diferente de outro que permite esticar as pernas. Mais espremidos e mais espaçosos. Vermelhos, verdes e azuis. Mais ou menos robustos. Existem uns que, quando você apoia glúteos e lombar direitinho no encosto, não consegue mais encostar os pés no chão. A matéria de que os sofás são feitos também pode variar.

Mas todos eles são sofás. Porque têm a mesma forma de sofá.

O mesmo acontece com mesas, por exemplo. Podem ser redondas, quadradas, retangulares. Mas todas elas, diferentes entre si enquanto podemos percebê-las, têm forma de mesa. Portanto, são todas mesas. Atendem aos pré-requisitos de mesa. Todas são dotadas de um *platô* horizontal apoiado em certo número de pernas que pode variar.

Desse modo, também podemos nos perguntar o que faz com que um ar qualquer seja vento. Isto é, qual é a forma do vento?

No caso do vento, fica ainda mais claro que a forma das coisas não se confunde com o contorno do que vemos. Porque ventos não têm contorno. O que faz o ar ser vento é invisível aos olhos.

Trata-se de um tipo particular de deslocamento de ar. Um deslocamento diferenciado (acelerado) de uma porção de ar em relação ao deslocamento do resto do ar (mais lento) exterior a essa porção.

Esse deslocamento acelerado de certa porção de ar, muitas vezes horizontal em relação à superfície do planeta, se deve a alguma outra força que o determina. Essa força é, portanto, condição da forma de vento. Condição de ser do vento. Condição de o vento existir.

De fato. Sem esse deslocamento, ar não é vento.

Uma curiosidade mitológica para aliviar todo esse imbróglio aristotélico de matéria e forma.

Dissemos aqui que o planeta Mercúrio, o mais próximo do Sol, não tem massa suficiente que lhe permita atrair em gravidade uma camada atmosférica. O que nos faz concluir que em Mercúrio não rola essa fartura de ar como aqui na Terra. E, portanto, não há vento. Ao menos não como os nossos.

Muito bem. Ocorre que esse nome Mercúrio, como muitos saberão, é uma homenagem ao deus grego Hermes, chamado de Mercúrio pelos romanos.

Hermes era filho de Zeus. No Olimpo, ele desempenhava a função de mensageiro. Foi ele, por exemplo, que levou à deusa Calipso, na *Odisseia*, a ordem de liberar Ulisses para que este pudesse finalmente voltar para casa após sete anos de escravidão sexual. Foi ele também que encontrou o príncipe Páris para decidir, no lugar de Zeus, quem era a mais bela entre Hera, Atena e Afrodite e, portanto, a legítima dona da maçã da discórdia.

Sempre calçado de sandálias especiais com asas, Hermes se deslocava em grande velocidade, vencendo com facilidade todos os obstáculos naturais que tanto retardam as expedições dos mortais. Em muitas narrativas, Hermes, por conta de suas sandálias aladas e de sua destreza, foi comparado ao vento.

O leitor terá entendido a curiosidade. Na hora de homenagear o deus que se servia de asas para flutuar, que precisava tanto de ar e era comparado ao vento, acabaram batizando com seu nome um planeta quase sem atmosfera.

Por outro lado, se você achava que Mercúrio, por ser o planeta mais próximo do Sol, fosse também o mais quente, erra com pompa e circunstância. Vênus, por exemplo, apesar de mais distante do Sol, é muito mais quente.

Pelo fato de quase não ter atmosfera, não há em Mercúrio o tal do efeito estufa. E o calor se dissipa rápido. Pela mesma razão, a parte de Mercúrio que não está virada para o Sol é francamente fresca.

Eis um atributo bastante alinhado com as preferências do deus homônimo. Hermes sempre foi apaixonado por temperaturas amenas ou frias, apesar de viver na Grécia. Adora inverno, lareira, chocolate quente e sopa.

E se você estiver curioso pela fonte dessa última informação, saiba que ela consta das "fofocas olimpianas" captadas pelas antenas espirituais aguçadas de meu tio Ercílio.

Ventos não se deixam ver. Problema para nós, humanos, ultradependentes da visão para perceber o mundo. Resta flagrar seus efeitos. Platão já tinha observado: o que faz andar o barco não é a vela garbosa, mas sim o vento, que não se vê.

Mas nem sempre o tal deslocamento privilegiado de ar joga do nosso lado. O mesmo vento que ajuda a empurrar a bola para o gol de um time atrapalha demais a vida do adversário. Se muda de direção, obriga as aeronaves a se reposicionarem para pousos e decolagens. Sem falar em veleiros, planadores, asas-deltas e afins.

Com efeito. Vento que é vento também bagunça. Tira do lugar. Derruba. Bate porta. Apaga o fogo mirrado e inflama o já desenvolto. Vento é moleque arteiro. Entra sem pedir licença. Corre de todo lado para todo lado. Se assim não fosse, dizem os chineses, se ventasse numa única direção, tudo no mundo seria inclinado para o mesmo lado.

Depois da ventania, é preciso restabelecer a ordem. Empilhar os papéis. Varrer o quintal. Recolher os cacos do vaso quebrado. Reconstruir a casa, dependendo da potência.

Essa ordem que nos toca reeditar não é a da natureza. Da qual ele, vento, sempre participa, com todas as suas consequências. Mas, sim, a nossa ordem. Disposição refletida das coisas, com vistas a certo fim. Sêneca já ensinava que, quando se navega sem destino, nenhum vento é favorável.

Vento que é vento parece ter vida. Transporta, fertiliza, comunica, impacta e refresca. E dá um empurrãozinho às vezes. Fernando Pessoa, o mais genial poeta português, também é fã. "Às vezes ouço passar o vento, e só de ouvir o vento passar, vale a pena ter nascido."

William James, filósofo americano da mais fina e sofisticada produção, é outro encantado por ventos.

E lindamente sugere que nunca nos deixamos levar o tanto de longe que o vento permite desde o primeiro instante. É uma pena. Porque, segundo ele, sempre vem uma segunda rajada. Se tivéssemos acreditado desde o começo, essa certamente nos faria chegar lá.

É como se o ar, feliz, se pusesse a correr de um lado para o outro. Como se fosse dotado de alma que, quando excitada, baila. Às vezes até em ciranda, como nos grandes tornados. Vento que alegra. Como barco desamarrado com vento favorável. A vida flui. No seu grande estilo. Belo e desenvolto.

Aí poderíamos imaginar que aquele ar que vai de um lugar para o outro talvez fosse buscar alguma coisa lá para onde está indo, talvez se sentisse melhor no lugar do seu destino, porque, afinal de contas, há ares que saem correndo e ares que parecem bem, bem, bem confortáveis onde estão.

Lugares de ventos zero seriam lugares onde o ar está feliz onde está. Em contrapartida, lugares de supervento são lugares onde o ar busca desesperadamente um outro lugar para viver, porque ali onde ele se encontrava, Deus me livre!

E quanto mais forte o vento, maior é o desespero daquele ar ventoso de mudar de ares. Trocar de lugar em urgência. Abandonar sua posição atual e procurar seu destino, onde a vida seria feliz.

E assim, cheio de pressa, o vento passa fazendo barulho por entre as árvores, dizendo "dá licença, dá licença, o caso é de urgência". É a vida que está em jogo. É a harmonia da minha existência com o resto do Universo que precisa ser resgatada.

Ah, e quando eu chegar lá, eu prometo, lá eu ficarei, não ventarei nunca mais. Porque vento é sempre busca de vida melhor, realizada por ares inconformados, incapazes de regozijar onde estão, de amar o mundo que ali se encontra, de ser felizes naquelas condições.

Nossa, você, que ainda me ouve, cogita, quase em voz alta:

— Professor andou bebendo antes de gravar o *podcast*. Ele não tá bem. Imagina: o ar se deslocando, de um lado para outro, em busca de uma vida melhor! Como um retirante que abandona um lugar inóspito e carrega suas tralhas em direção a uma terra prometida qualquer!

— Já aprendi na aula de Geografia que, se o ar sai de um lugar para o outro e forma o vento, é por causa da diferença de pressão entre o ponto de origem e o ponto de destino. É essa diferença de pressão que faz com que o ar inapelavelmente se desloque de um lugar para o outro, meio que para preencher um vazio deixado por outro ar que subiu.

Portanto, o ar é uma espécie de vítima de uma condição que a ele se impõe. Seu movimento resulta de causas materiais eficientes que a física explica com relativa simplicidade.

Logo, conceber movimentos de ar como se fossem dotados de uma alma, cheia de vontade, de lucidez, de discernimento, em busca de uma vida melhor faz parte da história distante das nossas ideias. Mas, por favor, ninguém mais engole essa conversa.

Para ser gentil, já que o professor é gente fina, a sua interpretação do vento pode até ser poética, lírica e encantadora, mas é desmentida pela ciência mais elementar. Que aprendemos hoje ainda no ensino fundamental.

Você tem toda a razão, meu querido ouvinte. Mas eu te digo que, lá em tempos de pensamento antigo, acreditava-se piamente que, se o fogo e a fumaça iam em direção ao alto, é porque por natureza intuíam ou entendiam que lá em cima era melhor para eles. Um tipo de entendimento muito diferente do nosso, mas muito eficiente também.

Da mesma forma, quando observavam a pedra caindo do alto de uma montanha em direção ao solo, tinham certeza de que aquela pedra, animada por alguma força interior, ia atrás de uma vida melhor lá embaixo. Porque lá é o seu lugar, o seu lugar natural.

Eis uma física diferente. Para a qual tudo tem alma. E busca uma vida boa, uma vida melhor para si, em harmonia com o resto e ocupando o lugar que lhe cabe ocupar.

Sensacional, não acha?

EPISÓDIO 9

Píton, Pitonisa e Pitel

Conhece-te a ti mesmo e conhecerás todo o Universo. E, de quebra, também os deuses. Porque, se o que procuras não achares primeiro dentro de ti mesmo, não acharás em lugar algum.

Era essa a frase que todos os visitantes encontravam na entrada do Oráculo de Apolo, em Delfos.

Delfos era uma cidade. Situada na região central da Grécia.

Esse oráculo era, na verdade, um templo. Um oratório. Local de oração. Construído em homenagem a Apolo, deus da luz, da música, das profecias e da verdade.

Peregrinos, vindos de todas as partes, dirigiam-se ao Oráculo de Delfos para consultar as suas pitonisas. Eram sacerdotisas que regularmente faziam ali suas profecias.

Não se tratava de ir pedir alguma graça, como é comum nas peregrinações de hoje. O que o peregrino que visitava o oráculo queria mesmo era saber como seria o amanhã. Qual seria o seu destino. O que lhe reservavam os dias por viver.

Essa curiosidade, saliente-se, não arrefeceu ao longo dos séculos. "Bola de cristal / Jogo de búzios, cartomante / Eu sempre perguntei", cantava Simone em sucesso inesquecível da década de 1980.

Portanto, embora estivessem num templo, o serviço oferecido estava mais para a vidência do que para a prece.

E a vontade de antecipar o devir não se limitava ao destino do indivíduo consulente. Interessavam-se também, esses peregrinos, pelo destino da cidade a que pertenciam. A superveniência de futuras guerras contra outros povos — bem como suas consequências em caso de vitória ou derrota — estava entre as principais inquietações.

Os gregos pareciam ser cidadãos mais preocupados e concernidos com as coisas de suas pólis do que nós.

Ah. Mais uma observação.

Nos livros e vídeos que contam a história dos pensadores e seus pensamentos, muitos autores, em vez de afirmarem "a pitonisa do oráculo disse isso ou aquilo", escrevem ou dizem, de forma simplificada, que "o oráculo respondeu ou profetizou isso ou aquilo".

Dessa forma, além de querer dizer um templo, a palavra "oráculo" passou a significar a pessoa que ali fazia suas profecias em nome de Apolo.

Mitos bem antigos nos contam a origem do Oráculo de Delfos. A narrativa é belíssima. Peço licença ao querido ouvinte que acompanha este *podcast* para um dedinho de prosa fina e um fiapo de imaginação bem colorida.

Zeus, o maior dos deuses, queria medir com exatidão o centro da superfície do mundo. Para tanto, ordenou que duas águias fossem soltas a partir dos extremos da Terra. No exato ponto em que os voos se cruzassem, ou melhor, na terra bem embaixo de onde as águias se encontrassem, Zeus marcaria a posição do "umbigo do mundo".

Assim se fez. E, no preciso ponto do solo onde os voos das águias se cruzaram, havia uma pedra. Bem próximo de um monte, o Parnaso.

Zeus então comunicou a todos que ali daria plantão, atendendo aos que quisessem se consultar ou mesmo rezar.

Acontece que aquela região era habitada por uma gigantesca cobra, muito conhecida, que também tinha jeito de dragão. A Píton.

Aliás, os gregos gostavam mesmo de uma cobra que põe terror no pessoal. O ouvinte certamente se lembra da Hidra, cobra com dez cabeças e um hálito dos infernos que Aquiles teve de encarar por conta das artimanhas enciumadas de Hera, mulher de Zeus.

Bem, voltando.

Píton era mesmo um monstro.

Pois é. Nada a ver com pitéu ou pitel, que na gíria luso-brasileira quer dizer um corpo feminino ou masculino bastante apetecível.

Se, ao ouvir ou ler Píton, você se lembrou das pitonisas do oráculo, é porque está atento. Muito bem. As pitonisas eram assim chamadas por conta do nome da dita cobra que um dia viveu por ali.

Ainda hoje há cobras píton na Ásia e na África, e elas continuam causando temor. Parece que matam suas presas por asfixia. Espremendo-as. Esmagando-as. E, só depois, dedicam-se a degustá-las.

O fato é que a tal da Píton — a primeira, a original, a personagem do mito — não deixava ninguém se aproximar do umbigo do mundo identificado por Zeus. Ela apavorava pesado por aquelas paradas.

Era uma legítima representante das forças do Caos.

Aquelas mesmas derrotadas por Zeus na grande guerra entre a primeira geração dos deuses, os titãs, comandados por Cronos, e a segunda geração, liderada por Zeus.

As narrativas mitológicas dão conta das inúmeras tentativas dos deuses da primeira geração, ligados ao Caos (que também era um deus), para retomar o controle sobre o mundo, perturbando a ordem cósmica estabelecida por Zeus. Píton representava justamente uma afronta e uma ameaça a essa ordem.

É nesse momento que o deus Apolo entra na jogada. Integrante do primeiro escalão do time de Zeus, galã do Olimpo, defensor maior da harmonia do Cosmos.

Como era de se esperar, ele se oferece para enfrentar Píton.

Ao cabo de espetacular batalha, Apolo derrota a flechadas sua temível contendora. E enterra seus restos mortais ali mesmo. Exatamente nesse lugar, será erguido o templo em homenagem ao deus vitorioso. Esse templo é justamente o oráculo de que estamos falando. Edifício cuja insígnia maior coloca o conhecimento de si como condição de uma vida boa.

O Oráculo de Delfos é citado mundo afora até hoje porque um amigo de infância de Sócrates, chamado Querofonte, fez uma visita ao templo e ousou perguntar a uma pitonisa se havia em Atenas alguém mais sábio do que o mestre de Platão.

A pitonisa, então, lhe respondeu, sem meias-palavras, que Sócrates era o homem mais sábio de Atenas. O que talvez correspondesse ao mais sábio entre os homens. Porque Atenas era o centro intelectual do mundo, a principal metrópole da época, para onde todos os que se achavam sábios ou candidatos à sabedoria acabavam se dirigindo.

Sócrates, informado pelo amigo da resposta que recebera no oráculo, se perguntou:

— Como posso ser eu o mais sábio se não sei nada?

A pergunta se impunha porque a pitonisa respondia em nome de Apolo, um deus. E os deuses não estão de brincadeira, tampouco costumam se enganar.

Para conseguir entender o que a pitonisa quis dizer, Sócrates procurou conversar com muitos concidadãos atenienses que se julgavam sábios. E, após essas conversas, ele finalmente compreendeu o que a pitonisa queria dizer com aquela afirmação, aparentemente sem sentido.

— Captei, captei a vossa mensagem, ó grande e enigmático Apolo!

Quem sabe que nada sabe, sabe ao menos uma coisa. Exatamente isto: que nada sabe. E saber que nada sabe já é saber um montão. Trata-se do primeiro e mais decisivo passo para um saber maior.

Ter certeza de nada saber é como finalmente achar o interruptor de luz no interior de um porão escuro, onde se perdeu um tesouro.

A consciência da própria ignorância é tão importante que bastou para fazer de Sócrates o mais sábio entre todos os homens.

E os outros?

Bem. Os outros achavam que sabiam um monte de coisas. Sobretudo os mais sabichões, que acreditavam saber de tudo. Todos eles, além de estarem enganados a respeito do que acreditavam saber, não sabiam que nada sabiam. Eram ignorantes de tudo e da própria ignorância. Portanto, eram, de longe, menos sábios do que Sócrates.

Conhecer a si mesmo é um desafio gigantesco. Um abacaxi para descascar, como diria o meu pai.

Você, que está me ouvindo, já se perguntou o que pode significar exatamente essa história de conhecer-se a si mesmo?

Só conseguiremos saber a que se refere a inscrição no templo, tão citada na história do nosso pensamento ocidental, se soubermos o que em cada um de nós corresponderia a esse “si mesmo”.

Por exemplo, eu sei que tenho dois olhos, um nariz com duas narinas e uma boca. É um conhecimento sobre mim mesmo. Sem dúvida. Mas será disso que a inscrição no templo está falando?

Segundo exemplo: eu sei que enxergo muito pouco, quase nada. Também é um conhecimento sobre mim mesmo. Mas esse conhecimento tem um objeto um pouco diferente do exemplo anterior, concorda?

Você diz que sim, que é diferente.

— Mas onde está a diferença?

E você responde:

— Ter dois olhos, nariz e boca é o que quase todo mundo tem. Corresponde, portanto, a um padrão. Ao passo que enxergar muito pouco ou quase nada é um conhecimento de algo muito mais particular.

Não há dúvida.

Terceiro exemplo: eu sei que, quando como frutos do mar, a taxa de ácido úrico no sangue aumenta muito, e eu tenho crises de gota, que são muito dolorosas.

— É um conhecimento sobre mim mesmo?

— Claro que é.

— Será a esse tipo de conhecimento que o oráculo se refere?

— Acho que não.

— Por quê?

— Acho que o conhecimento sugerido pelo oráculo refere-se a coisas mais profundas. Não creio que uma frase tão importante para a história do pensamento tenha a ver com coisas tão circunstanciais como um prato de camarão e uma crise de gota.

— Você se refere a algo que nos seja, digamos, mais essencial?

— Exatamente.

— Mas o quê?

— Aquilo que diz respeito apenas a cada um de nós. Sem o que não seríamos o que somos.

— Vamos juntos, então. Se perdermos o cabelo, continuamos sendo quem somos?

— Claro.

— Um braço ou uma perna?

— Claro.

— Um dos rins?

— Sem dúvida.

— Então o nosso "si mesmo" não estava nem nos cabelos, nem nos braços ou nas pernas, nem no rim.

— Certamente não.

— Se formos pensar como os gregos, já sabemos que somos uma parte de um todo ordenado chamado Cosmos.

— Sim, sabemos.

— Que temos um papel ou uma função nesse todo, que os gregos denominavam *ergon*.

— Exatamente.

— Que somos perfeitos pela própria natureza para realizar essa função.

— Sim, tudo isso já sabemos.

— Que há na nossa natureza o que nos seja específico e o que é comum a todos os homens e as mulheres.

— Isso mesmo.

— Que a nossa natureza é o único manual de instrução que temos, sempre pensando como os gregos, para descobrir o nosso papel e o nosso lugar nesse Cosmos.

— Perfeitamente.

— Não seria essa nossa natureza, específica e comum aos demais humanos, o tal do "si mesmo" que mandam conhecer?

— Entendo. Daí a importância que os gregos atribuíam a esse conhecimento. Só ele permitiria a justa integração no Universo cósmico.

— Muito bem. Estou orgulhoso de você, querido ouvinte pamonheiro.

Pois é. Mas e agora, que já sabemos que os gregos estavam equivocados, que o Universo é infinito e que não temos um lugar cativo no seu interior? Nada impede que continuemos buscando algo que nos seja, por assim dizer, essencial.

Senão, imagine só! Você, ao sair de casa, se despede da galera. E, no fim do dia, retorna ao lar. Se só houvesse impermanência, teria que se reapresentar a cada dia. Talvez, a cada instante. Certamente iam te tomar por doido. Para que possamos interagir, continuamos precisando de algum "si mesmo" que resista à mudança. Nem que ele resulte de uma convenção, de um acordo.

Não faça essa cara de pôquer. Vamos tentar nos explicar melhor.

Em algum momento da minha vida, eu me encontrava numa solteirice muito solitária. Um momento de entressafra afetiva, entre uma desilusão e uma nova ilusão amorosa. Estava mesmo na fossa e fui tomar um iogurte desnatado em um bar no bairro da Vila Madalena, em São Paulo.

Eis que, do nada, senta-se à minha frente uma jovem apetecível.

Essa coisa de sedução amorosa nunca foi o meu forte. Desde adolescente coleciono fracassos com a mesma frequência com que troco de meias. Tenho uma verdadeira sala de troféus entulhados de recusas, repúdios e desagravos amorosos.

Voltando à jovem. Ela me perguntou:

— Posso me sentar?

— Pode.

Percebi, como costuma acontecer, que ela queria saber quem eu era.

Então pensei: "O que será que eu digo para explicar quem eu sou?".

Ocorreu-me, então, dizer: "Sou um ser em transformação atômico-celular". Não teria mentido.

Mas tive a impressão de que a moça se assustaria com a resposta e partiria, abandonando-me sumariamente. Bem, eu não me encontrava em condições de perder companhia alguma, fosse de quem fosse. Ainda mais aquela, tão agradável aos olhos.

Precisava dizer alguma coisa mais previsível e menos chocante.

Então, resolvi dizer outro tipo de verdade.

— Eu sou professor.

Ela meneou a cabeça, abriu suavemente os olhos e não se levantou. Vitória no primeiro *round*.

— Professor? — Ela solicitou confirmação.

Claro que podia ser menos mixo. Algo com mais *glamour*. Mais bem pago. Mais reconhecido. Mais aplaudido. Mas fazer o quê? Ser professor era o que sempre tirava da manga em situações desse tipo.

O fato é que aquela informação bastou para mais uma pergunta. Eu continuava de pé. O gongo do segundo *round* tinha soado sem apanhar muito.

— Dá aula do quê?

— Dou aula de... coisas da vida. O pessoal às vezes chama de Filosofia, às vezes de Ética. O que eu ensino são os valores; isto é, tudo que realmente vale, que realmente importa. É o que na vida compensa as dores e mazelas do viver.

A aparente singeleza impressa no discurso disfarçou com isca graúda um anzolzinho de sedução.

— Que legal! Onde você dá aula? — ela perguntou já com um meio sorriso contido.

Já era a terceira pergunta. Na minha trajetória, aquela conversa já tinha batido todos os recordes. Nunca tinha ido tão longe com uma desconhecida em ambiente não profissional.

— Dou aula aqui, ali, acolá. É preciso se virar. Não que trabalhe por dinheiro. Mas preciso fechar a conta.

Foi quando ela virou para mim e disse:

— Nossa, adorei te conhecer. A gente podia se ver outra vez.

Eu entendi que o terceiro e último *round* tinha terminado. E que eu não tinha sido nocauteado. Ela ficara satisfeita.

Então eu pensei: "O que será que eu disse a meu respeito que tanto a satisfez? Terá sido a profissão? A disciplina que lecionava? O local de trabalho?". Isoladamente, essas informações não permitiam ir muito longe a meu respeito.

Qualquer um, ou pelo menos muitas outras pessoas, poderiam responder a mesma coisa. Mas a somatória de tudo talvez permitisse vislumbrar certo "si mesmo", um estilo de viver, uma pista sobre como encaminhei a minha vida.

De fato. Ser professor, lecionar sobre a vida, trabalhar na universidade pública são escolhas que eu fiz. Decisões que eu tomei. E essas escolhas não são completamente óbvias.

Lá atrás, fiz o curso de Direito, na USP, por cinco anos. Mas nunca fui um profissional do direito. Ao mesmo tempo, estudei Jornalismo, na Cásper Líbero. Tampouco fui um profissional do jornalismo. Anos depois, graduei-me em Filosofia, também na USP. E nunca fui filósofo.

Veja que interessante: são três formações universitárias. Completas. Mas a vida escolhida por mim nunca correspondeu exatamente a nenhuma delas. Trata-se de uma quarta atividade.

E professor do quê? Poderia ser Física, Geografia, Química Orgânica, Recursos Humanos. Mas a minha escolha incidiu sobre coisas da vida mesmo. Que costumam ser tratadas pela Filosofia, mas não necessariamente.

E onde eu trabalho? Ministrei aulas em instituições de ensino particulares. Mas também na universidade pública. Foi uma decisão minha. Prestei o concurso e lá fiquei por décadas.

Aquilo que eu contei para a moça a meu respeito tem a ver com as coisas que eu escolhi para a minha vida. Eis a matéria-prima da definição que ofereci de mim mesmo.

Mas, por trás dessas decisões, sempre esteve presente, com alguma consciência, certa hierarquia daquilo que importa mais ou importa menos para mim. É o que poderíamos chamar de valores. Valores existenciais.

De fato. Quando disse à moça que era professor, sugeri, por tabela, que as coisas ligadas à docência sempre foram importantes para mim. Didática, ideias, diálogos, conhecimento, pesquisa, estudo, leitura, por exemplo.

Da mesma forma, ao afirmar ter trabalhado nesta ou naquela instituição, indiquei que seus valores também foram importantes para mim. Ao menos no instante em que essas decisões foram tomadas.

Em suma, quando alguém fala sobre si mesmo, a trajetória que percorreu, as escolhas que fez, as decisões que tomou, mesmo sem perceber está comunicando aquilo que de mais precioso considera na hora de viver. Os grandes valores da própria vida.

Eis aí, a meu ver, a nossa definição. O "si mesmo" de hoje em dia. O que nos toca conhecer. Somos tudo aquilo que é genuinamente importante para nós. Tudo que serve de referência para as nossas escolhas. Para as nossas decisões.

E aqui colocamos um ponto-final em mais um *Inédita Pamonha*. E que você tenha reagido como a plateia do *Programa do Jô*, a quem aproveito para render sinceras homenagens.

Você se lembra. Quando a entrevista era entretida, a reação do público ao seu final era de decepção. Manifestação indicativa de que o papo poderia ter durado um bocadinho mais. Sintoma de instantes felizes que, quando vividos ao longo da entrevista, não permitiram sequer dar-se conta da felicidade que ali se instalara.

Se quiser, leia novamente o episódio. Deguste. Pensar melhor traz um imenso prazer. Para senti-lo, basta flagrar em si mesmo, no próprio espírito, a sua pujança e o seu vigor.

EPISÓDIO 10

Nem mais um minuto

Neste episódio, o último da coletânea de dez publicada neste volume pela Citadel, falaremos sobre o outro.

O outro? — você pergunta, entre o desentendimento e a decepção.

Sim, isso mesmo, o outro. Aquele que não é você. Claro que não me refiro aos gatos. Menos ainda aos carros. Estou falando das outras pessoas. Que são diferentes de nós, claro, enquanto indivíduos, mas que também são como nós, enquanto seres da mesma espécie.

Esse outro me fala de mim para mim mesmo. Me conta coisas a meu respeito que nunca poderia saber sem ele. Por parecer tanto comigo — sendo sempre diferente e outro —, permite-me um autoconhecimento por aproximação, comparação, semelhanças e diferenças. Por contraste, em suma.

Ora, se fala de mim coisas que não poderia saber, faz o papel de espelho. Sim, função especular da alteridade. Olha que bonito! De vez em quando, um jargão como esse cai bem. Para aquietar os espíritos que só respeitam o que não conseguem entender.

O outro é um espelho que, não sendo eu, consegue mostrar coisas sobre mim que ficariam na minha total ignorância se não estivesse ali. Como acontece, aliás, com qualquer espelho. Não fosse o outro, meu entendimento de mim estaria severamente comprometido. Duramente empobrecido.

Um exame primário do tema nos brinda com um paradoxo. Esse outro, que é como eu sem ser eu, é constituído para mim pela minha consciência. Mas essa última, a minha consciência, por seu turno, só tem alguma confirmação dela mesma a partir do outro.

É mesmo curioso. Meu amigo Julio é um outro para mim, enquanto produção da minha consciência. Porém, essa minha consciência, que é sempre consciência de alguma coisa, só se confirma ante essa alguma coisa, isto é, o próprio Julio.

Os antigos não refletiam sobre essa alteridade do mesmo modo que os modernos. O tema era abordado na concretitude das relações interpessoais. Desse modo, a título de exemplo, Aristóteles consagrou à questão da amizade dois dos dez livros de sua principal obra sobre a felicidade: *Ética a Nicômaco*.

Para Aristóteles, a amizade corresponde a um vínculo que estabelecemos voluntariamente com o outro. Isto é, temos os amigos que temos apenas porque queremos.

A amizade se nutre de uma benevolência recíproca num tipo de relação privilegiada fundado em afinidade de caráter. Por isso, nunca se trata de ser amigo de qualquer um. Há uma especificidade propriamente moral daquele que escolhemos em amizade.

O objetivo da amizade é costurar relações harmônicas com vistas a uma vida boa. A amizade deve, portanto, ser contributiva da eudaimonia. Do pleno esplendor da própria natureza. O amigo é um outro nós mesmos, talvez melhor do que nós mesmos, que nos servirá de referência em busca de nosso próprio florescer.

Nesse cenário, o outro não vale por ele mesmo. Mas é importante condição de busca de uma vida bem-sucedida.

O outro, que é nosso amigo, deve, desse modo, ser decisivo na implementação de nossa própria vida virtuosa. O que corresponde a contribuir para que possamos alcançar o melhor de nós mesmos. A fazer bem o que fazemos. Uma vida em excelência.

Já para o pensamento cristão, o tema da alteridade se inscreve num outro tipo de relação, escorada em Ágape: um amor incondicional pelo próximo.

Você, ouvinte, poderia ser levado, num primeiro momento, a supor que essa relação amorosa do mundo cristão correspondesse, *grosso modo*, à relação de amizade aristotélica.

O imperativo apresentado em Levítico é claro: você amará o teu próximo como a ti mesmo. Ocorre que esse próximo citado na *Bíblia* não corresponde a um outro entendido na sua singularidade, como o caso do amigo em Aristóteles.

No caso do pensador grego, a amizade une parceiros em virtude, em admiração. Ora, esses atributos normais que alicerçam a amizade são específicos a esse ou àquele indivíduo. Trata-se da excelência moral de uma pessoa em particular. Em outras palavras, não se fica amigo de qualquer um.

Não é esse o caso do próximo cristão. Esse outro é bem distinto do outro da amizade. Trata-se de qualquer outro, que como eu também é filho de Deus. Também é criatura divina. O que faz dele um irmão, gerado pelo mesmo criador.

De qualquer forma, essas referências antigas nos indicam que o outro é a expressão de um tipo de relação. Se algum outro existe, é porque com ele nos relacionamos. Essa relação pode assumir diferentes matizes, como a amizade e o amor ao próximo já citados.

O ouvinte me permitirá um exemplo da minha própria trajetória.

Vivia em Paris em 1988. Meu filho mais velho, Martin, nascido um ano e pouco antes, na Rue de la Convention, Hôpital Boucicaut, já dava seus primeiros passos no estúdio em que morávamos.

As dificuldades financeiras, entretanto, recrudesceram. A falta de regularidade no pagamento da bolsa que nos mantinha foi a principal causa. Interromper os estudos seria muito lamentável.

Deliberamos, então, que Martin regressaria com a mãe para o Brasil, o que facilitaria a busca de recursos e reduziria gastos.

Passei a residir na Maison du Brésil, na Cité Universitaire. No final de um dia de estudos, um colega vizinho regressou comigo no trem RER. Ao longo do trajeto, um indivíduo cantava no vagão. Maravilhosamente, por sinal. Meu colega, então, ponderou que era preciso muita coragem para encarar aquela situação do nosso amigo cantor.

Respondi prontamente que não estava de acordo. Que as dificuldades poderiam fazer daquela tarefa uma ótima oportunidade. Foi quando ele me desafiou. Apostou uma soma equivalente a dez refeições no restaurante universitário que eu não cantaria.

Por sorte, nos tempos em que estudava francês, divertia-me traduzindo algumas canções brasileiras. Veio-me à cabeça "O trem das onze", do gigante Adoniran. Demos um tempo para que o artista que me antecedia concluísse seu número e, só então, pedi licença aos passageiros.

Anunciei a todos, com voz firme, que era estudante brasileiro, fazia doutorado em Direito e cantaria uma canção muito famosa no Brasil em francês. E que meu amigo recolheria a generosa contribuição para os nossos estudos.

E assim se fez.

Nos muitos meses que se seguiram, até a conclusão dos meus estudos, eu cantava regularmente a mesma canção. Seis vezes por dia. Três no caminho de ida para a universidade (entre as estações Cité Universitaire e Denfert Rocherau, entre essa e Port

Royal, e entre essa e Luxembourg) e mais três no caminho de volta, em meio às mesmas estações.

Graças a esse expediente, pude sobreviver, manter-me por lá e até comprar alguns livros. Agradeço ao amigo Paulo pelo desafio. E à generosidade daquela gente que, tomando o trem no mesmo horário, tinha que me aguentar algumas vezes por semana.

E acreditem: doavam repetidamente suas moedinhas de um franco, permitindo que, por mais de ano, eu permanecesse na capital francesa apenas estudando.

Mas tudo isso vai completar quarenta anos. Num dia desses, quando um cliente me pediu para que cantasse a mesma canção, a letra me veio à memória, mas a voz fragilizada decepcionou.

É o que é.

Interessa-nos, neste episódio, o modo como esse outro, ou esses outros, interfere na nossa vida. Quanto nossas escolhas e decisões podem ser por eles influenciadas, ou quem sabe até determinadas.

Desse modo, impossível falar de propósitos ou projetos de vida, sejam eles quais forem, sem admitir que muito daquilo que nos passa pela cabeça a respeito do nosso futuro tem forte inspiração no que vemos acontecer com os outros. Ou naquilo que eles mesmos dizem perseguir.

Enfim, deixamo-nos inspirar por aquilo que muitos outros acabam achando de grande valor porque outros ainda já pensavam desse modo.

A ponto de uma eventual investigação sobre algum eu mais genuíno, sobre aquele eu raiz ou essência, que teria nascido conosco — se é que ele existe ou é alcançável — ter que remover camadas e camadas de influência externa, aprendida e incorporada ao longo de intermináveis interações com os outros em espaços mais ou menos estruturados.

E, mesmo que esse eu mais genuíno seja identificado, nem sempre o que é bom, ou supomos que seja bom, para cada um de nós é fácil de bancar perante os demais. Dificuldade que vai do mais singelo e corriqueiro às grandes decisões da vida.

Por exemplo: você vai à pizzaria com um pessoal. Todos observam o cardápio. Cada qual identifica e comunica ao grupo sua preferência de sabor. Chega a sua vez.

E você, sem titubear, anuncia:

— Eu quero califórnia.

Os demais olham estranho. Para quebrar o gelo, um deles observa com amabilidade:

— Não vi esse sabor. Será que tem?

— Como assim, será que tem? Claro que tem — você responde com alguma indignação.

Outro tenta amenizar:

— O que vem na pizza califórnia?

E você, demonstrando enfado, anuncia em tom de obviedade:

— Alcachofra, pêssego em calda, figo em calda, goiaba em calda, ameixa em calda e cereja-marrasquino. Tudo isso com catupiry.

É quando os parceiros de pizza começam a dar sinais de impaciência:

— Mas... e antes da sobremesa?

Você, acusando a ironia, responde com alguma rispidez:

— Não, não. É pizza salgada. Tem alcachofra. Você, por acaso, come alcachofra na sobremesa?

Se você já estiver enturmado com o pessoal, é possível que tudo acabe mesmo em pizza. Vão tirar uma onda, e fica tudo certo.

Mas e se for, sei lá, um primeiro dia? De faculdade, por exemplo. Confraternização após o trote. Veteranos e calouros se conhecendo.

Ou, pior ainda: primeiro dia de trabalho. Apresentação dos novos estagiários, entre eles você. Uma pizza organizada pelo RH. Diretores e gerentes observando com quem irão contar dali para a frente.

Se você arriscar uma pizza de alcachofra com frutas fora do cardápio, poderá ficar marcado. No mínimo, com pecha de esquisito.

Em tais situações, para evitar esse tipo de mal-estar e suas consequências, os novatos costumam arredondar. Adotam uma estratégia de compromisso. Opções que não causem embaraço aos demais.

O mais comum é delegar a tarefa de escolher:

— O que vocês decidirem para mim está ótimo.

Ou mostrar-se solícito e apoiar qualquer escolha alheia:

— Qualquer uma, gosto de todo tipo de pizza.

E se alguém insistir, sugerindo que "qualquer uma" não tem, você continua arredondando.

— Alguma que tenha queijo.

Qual é a diferença entre "pizza de alcachofra com frutas em calda" e "qualquer uma que tenha queijo"?

No primeiro caso, você deixa claro seu desejo, sua preferência. No segundo, você omite. E aceita que sua pizza seja decidida pela vontade alheia.

Por que faria isso? Qual é o problema da alcachofra?

Porque nossas preferências podem determinar o que pensarão de nós.

Porque colocar as cartas na mesa e dizer, para quem for, o que você quer pode produzir desconforto. Parece que o mundo inteiro tem que se reacomodar quando alguém deixa claro, em alto e bom som, o que pretende.

Você, então, intui que esse desconforto possa se traduzir em algum tipo de retaliação. E você teme retaliações. Em especial quando se encontra em posição frágil, com poucos recursos para se defender, desprovido de qualquer poder.

O inusitado de algo tipo "pizza califórnia" fica por conta daquele que chamamos "sem noção".

Não se trata, na maioria das vezes, de um cálculo matemático. Porque tanto o desconforto quanto a retaliação e a tristeza que ele possa causar são só presumidos. Mais imprecisa ainda é a intensidade dessas reações.

Mas cada um de nós, ao longo da vida, em meio ao mundo social que nos circunda, vai aprendendo a reagir sem precisar fazer muitas contas. Por vias que escapam a adições e subtrações, passa a intuir o que deve ser feito. Ou seja, acaba agindo, sem fazer força, em harmonia com o que aquele espaço de relações autoriza e evitando fazer o que pega muito mal.

Trata-se, portanto, de um saber prático. Que, por ter sido interiorizado e, digamos, incorporado, dispensa que, a todo momento, tenhamos de calcular todas as variáveis implicadas naquela decisão. Dessa forma, a reação parece espontânea. Como se fosse óbvia, natural, e só pudesse ser aquela.

Muitas vezes, o noviciado do calouro pode propiciar certas gafes. Um indivíduo socializado em certo espaço age e reage segundo regras que não coincidem com as vigentes nesse novo lugar.

Justamente por isso, ele tende à cautela máxima. Pisa em ovos. Mapeia o ambiente. Observa o comportamento vigente. Identifica quem dita as regras. E, enquanto isso, adota condutas anódinas e não comprometedoras.

Em casos assim, parece valer a pena renunciar à própria preferência. Submetê-la ao valor do outro. À preferência de quem é dominante naquele grupo. Em outras palavras, por meio de valores estabelecidos, é possível assegurar relações de dominação e submissão.

Você está no ensino médio e diz para o professor de Literatura:

— Sabe o que é? Os livros de Machado de Assis me entediam. Prefiro ler outras coisas. Gosto da literatura portuguesa contemporânea. Valter Hugo Mãe, por exemplo. Ou, ainda, num outro registro completamente diferente, Miguel de Sousa Tavares. Com especial destaque para *Equador*. Um dos livros que mais gostei de ler em toda a minha vida.

E tudo isso mesmo sabendo que não caem na prova, nem no vestibular, suponho.

Aí o professor revida com autoridade:

— Você preferir ou não nada tem a ver com a qualidade do texto. Com o seu valor literário.

Mas você não se dá por achado e retruca à altura.

— Para mim, tem valor o que me agrada. No caso de livros, são os que eu gosto de ler.

O mestre vai perdendo a paciência.

— Quer dizer que para você essas outras coisas valem mais do que a literatura de Machado de Assis?

E você, sem nenhum receio:

— Exatamente isso, professor. A Capitu nunca fez minha cabeça.

Para que você foi dizer isso? Agora o homem ficou bem bravo.

— Então, deixa eu te explicar. Na prova vai cair Machado de Assis. No vestibular, também. Portanto, as suas preferências e o valor que lhes atribui, guarde-os para você. Porque aqui impera outro valor. O valor real das coisas. Machado de Assis é o máximo. Juntamente com Eça de Queiroz, Fernando Pessoa, Carlos Drummond de Andrade. São eles que valem de verdade. E muito. Entendeu?

Essa relação de poder e autoridade não se esgota no professor e no aluno. Tampouco no pessoal da pizzaria, da faculdade ou da empresa.

Valores na vida social são troféus preciosos. Disputados a tapa. O poder de definir quanto vale isso ou aquilo assegura ao seu detentor posição de dominação sobre outros que não têm essa condição.

Os que estiverem em desalinho com esses valores deverão se alinhar. Ser corrigidos, punidos ou excluídos, dependendo da gravidade da insubordinação, que também é valor.

Desse modo, o poder de decidir o que cai e o que não cai no vestibular acaba definindo o valor de todo conhecimento. Bem como daqueles que o possuem e dos que dele nunca ouviram falar.

Assim:

— Vai cair Revolução Francesa.

— Mas, professor, eu gostaria de estudar a revolução do Gabão.

— Bom, você faz o que quiser. Eu estou dizendo que o que você terá de saber é sobre a Revolução Francesa. A Revolução Industrial. A Guerra de Secessão. A história do Brasil. A revolução do Gabão fica por sua conta, mas aqui não rola.

Por meio do valor, a sociedade define quem manda. Porque esse último impõe seus valores em face de outros possíveis.

A lição é clara. Os valores podem ser apenas preferências. Eu adoro mel. Eis uma verdade. Ninguém pode negar. Para mim, ele tem altíssimo valor. Mel maravilhoso.

Mas esse apreço não implica mais ninguém.

De fato. Ninguém mais estará obrigado a gostar de mel por conta da minha preferência. E é por isso que esse valor é subjetivo. O "maravilhoso" não é imanente ao mel avaliado; isto é, não se trata de um maravilhoso por ele mesmo. Indica, sim, a relação que a iguaria estabelece comigo. O modo como me afeta.

Mas sempre haverá uma tentação de universalizar esse valor, por enquanto só subjetivo. Manifestar uma preferência pretendendo a adesão de mais gente.

— Você já comeu o filé à *parmegiana* no boteco da Lizinha? Não? Preciso te levar lá. É o melhor da cidade. Um autêntico desbunde.

Perceba que, nesse caso, o valor já não indica simples preferência subjetiva. Ele é deslocado do gosto e do afeto daquele que a manifesta para o próprio filé.

Deixa de ser um desbunde porque simplesmente me afeta de alegria. É um desbunde por ele mesmo. É o melhor da cidade. Por isso, afetará com a mesma alegria quem o degustar. Bom para qualquer um.

Preciso te levar lá.

Se para a culinária esse deslocamento do valor do afeto para a sua causa é facilmente denunciável

— bastaria ao amigo aceitar o convite e não gostar da iguaria —, a coisa fica mais nebulosa quando subimos em abstração.

É o caso do valor estético de uma obra de arte ou do valor moral de uma conduta.

Eu explico.

Se valor for simples preferência de cada um, Xuxuquinha pode valer mais que Mozart, dependendo de quem escuta, onde, como e com qual propósito.

Mais ainda.

Se for tudo só preferência subjetiva, o furto vale muito para o ladrão, a lesão para o agressor, a fraude para o estelionatário, o coito forçado para o estuprador e por aí vai.

Como não pretender a adesão? Como não supor concordância? Como não compartilhar valores?

Porque — diferentemente do que acontece com o filé à *parmegiana* — o coito forçado parece hediondo em si e, portanto, ter valor em si, independentemente do prazer e do horror que a violação venha a proporcionar a uns e a outros.

E o Universo é o limite. Um valor universal, portanto. Absoluto. É disso que estamos falando. Fazer do mel, que é maravilhoso para mim, maravilhoso para qualquer um. Como acontece com Mozart, Machado de Assis e Picasso. Com o furto, a fraude e o estupro.

Nesse caso, esses valores universalizados acabam se impondo. Deixando de ser simples preferências. Para se tornarem valores verdadeiros. Aquilo que as coisas valem de verdade.

De fato. Como pode alguém não gostar de mel, Mozart ou Machado de Assis? Ou considerar abjetos os maus-tratos a uma criança, o feminicídio, o racismo, a perseguição por preferência sexual?

Bem, este episódio também chega ao seu final.

Espero que tenhamos tido a oportunidade de pensar juntos sobre nossas vidas. Que essa experiência nos ajude a escolher melhor, decidir melhor e, quem sabe, até viver melhor.

Nem que seja só de vez em quando.

Um carinhoso abraço e até uma próxima oportunidade.

Narrador:

— Você ouviu o Inédita Pamonha, por Clóvis de Barros Filho, trazido até você pela revista Inspire-C.

Acesse www.revistainspirec.com.br e siga-nos nas redes sociais.

Este podcast foi editado por Rádio Fobia Podcast e Multimídia.